Ihrem
E. H. Derlinger
12/30

R. Klußmann

Psychoanalytische Entwicklungspsychologie
Neurosenlehre
Psychotherapie

Eine Übersicht

Springer-Verlag
Berlin Heidelberg New York
London Paris Tokyo

Professor Dr. med. Rudolf Klußmann
Leiter der Psychosomatischen Beratungsstelle
Medizinische Poliklinik der Universität München
Pettenkofer Straße 8a, 8000 München 2

ISBN 3-540-18475-9 Springer-Verlag Berlin Heidelberg New York
ISBN 0-387-18475-9 Springer-Verlag New York Berlin Heidelberg

CIP-Titelaufnahme der Deutschen Bibliothek
Klußmann, Rudolf:
Psychoanalytische Entwicklungspsychologie, Neurosenlehre,
Psychotherapie: e. Übersicht/R. Klußmann. – Berlin; Heidelberg;
New York; London; Paris; Tokyo: Springer, 1988
ISBN 3-540-18475-9 (Berlin ...)
ISBN 0-387-18475-9 (New York ...)

Dieses Werk ist urheberrechtlich geschützt. Die dadurch begründeten Rechte, insbesondere die der Übersetzung, des Nachdrucks, des Vortrags, der Entnahme von Abbildungen und Tabellen, der Funksendung, der Mikroverfilmung oder der Vervielfältigung auf anderen Wegen und der Speicherung in Datenverarbeitungsanlagen, bleiben, auch bei nur auszugsweiser Verwertung, vorbehalten. Eine Vervielfältigung dieses Werkes oder von Teilen dieses Werkes ist auch im Einzelfall nur in den Grenzen der gesetzlichen Bestimmungen des Urheberrechtsgesetzes der Bundesrepublik Deutschland vom 9. September 1965 in der Fassung vom 24. Juni 1985 zulässig. Sie ist grundsätzlich vergütungspflichtig. Zuwiderhandlungen unterliegen den Strafbestimmungen des Urheberrechtsgesetzes.

© Springer-Verlag Berlin Heidelberg 1988
Printed in Germany

Die Wiedergabe von Gebrauchsnamen, Handelsnamen, Warenbezeichnungen usw. in diesem Werk berechtigt auch ohne besondere Kennzeichnung nicht zu der Annahme, daß solche Namen im Sinne der Warenzeichen- und Markenschutz-Gesetzgebung als frei zu betrachten wären und daher von jedermann benutzt werden dürften.

Produkthaftung: Für Angaben über Dosierungsanweisungen und Applikationsformen kann vom Verlag keine Gewähr übernommen werden. Derartige Angaben müssen vom jeweiligen Anwender im Einzelfall anhand anderer Literaturstellen auf ihre Richtigkeit überprüft werden.

Gesamtherstellung: Appl, Wemding
2119/3140-543

Hans Blömer zum 65. Geburtstag

Aus dem Unergründlichen steigt Leben auf,
erhalten wird es durch die Urkraft des Lebens,
offenbar wird es durch das Leibhafte,
vollendet durch den Zielwillen des Lebens.

Daher verehren die Lebenden das Unergründliche,
nicht, weil es die Pflicht geböte,
sondern, weil es ihr Inneres so will.

Denn das Unergründliche gibt allen das Leben,
    es läßt im Frühling alles werden und wachsen,
    ernährt und erhält es im Sommer,
    läßt es im Herbst reifen und vollenden,
    schützt es im Winter.

Erzeugen, ohne etwas dafür haben zu wollen,
dem Leben zu dienen, ohne etwas zu erwarten,
es zu fördern, ohne es beherrschen zu wollen;
Das ist das Geheimnis innerlich kraftvollen Lebens.

Laotse,
Tao-Te-King
(Nr. 51)

Vorwort

Wie schon unsere Zusammenstellung *Psychosomatische Medizin: Eine Übersicht* (Springer-Verlag 1986)* ist auch die vorliegende Publikation aus Vorlesungen für Studenten entstanden.

Das Interesse an den tabellarischen Darstellungen war wiederum so groß, daß um eine Veröffentlichung gebeten wurde. Kritik und Gefahr wiederholen sich. Auch handelt es sich um einen Stoff, der aus Büchern nicht erlernbar ist. Dem Interessierten geht es so, wie es Freud bereits 1910 in seiner Arbeit „Über ‚wilde' Psychoanalyse" zu dem Thema geäußert hat:

... Wäre das Wissen des Unbewußten für den Kranken so wichtig wie der in der Psychoanalyse Unerfahrene glaubt, so müßte es zur Heilung hinreichen, wenn der Kranke Vorlesungen hört oder Bücher liest. Diese Maßnahmen haben aber ebensoviel Einfluß auf die nervösen Leidenssymptome wie die Verteilung von Menukarten zur Zeit einer Hungersnot auf den Hunger. Der Vergleich ist sogar über seine erste Verwendung hinaus brauchbar, denn die Mitteilung des Unbewußten an den Kranken hat regelmäßig die Folge, daß der Konflikt in ihm verschärft wird und die Beschwerden sich steigern ...
Es reicht also für den Arzt nicht hin, einige der Ergebnisse der Psychoanalyse zu kennen; man muß sich auch mit ihrer Technik vertraut gemacht haben, wenn man sein ärztliches Handeln durch die psychoanalytischen Gesichtspunkte leiten lassen will. Diese Technik ist heute noch nicht aus Büchern zu erlernen und gewiß nur mit großen Opfern an Zeit, Mühe und Erfolg selbst zu finden. Man erlernt sie wie andere ärztliche Techniken bei denen, die sie bereits beherrschen ... (GW Bd. 8, S. 123 f.; Imago, London, 1950)

In den Vorlesungen haben wir versucht, die vorliegenden Tabellen – den Kern psychoanalytischen Wissens – mit Fleisch zu umgeben. Patientenvorstellungen, Kranken- und Behandlungsberichte, erweiterte Anamnesen, Erklärungen der oftmals mißverständlichen und allzu leicht als Eigengut angesehenen und verwendeten Begriffe waren der wesentliche Inhalt der Darlegungen im Auditorium, in den Seminaren und Kursen. Dennoch gilt die Mahnung Freuds in besonderem Maße; im Mittelpunkt der Ausbildung zum Psychoanalytiker steht ausbildungsbegleitend – also über Jahre hinweg – die psychoanalytische Selbsterfahrung vor allem in Einzel-, aber

---

* Aufgrund der thematischen Überschneidungen konnten daraus die Seiten 17, 19–25, 51–54, 56–63 in die vorliegende Arbeit übernommen werden.

auch in Gruppen- und Kontrollsitzungen. Niemand wird Psychoanalyse richtig und erfolgreich betreiben können, der nicht seine eigene Persönlichkeit in seiner ganzen – besonders auch unbewußten – Dimension mit seinen unterdrückten (Trieb)wünschen, Abwehrkonstellationen und neurotischen Kompensationen kennengelernt und wenigstens teilweise korrigiert hat.

Das allgemeine Interesse an den Themen ist jedoch groß. Die Häufigkeit von Neurosen, insbesondere von Frühstörungen, nimmt weiterhin zu. Die psychosomatischen Störungen – häufig ein Ausdruck dieser frühen Schädigungen – nehmen inzwischen einen so breiten Raum ein, daß es nicht übertrieben ist festzuhalten, daß jeder zweite Patient, der einen Arzt aufsucht, auch psychotherapeutisch behandelt werden müßte. Das wird aber nur möglich sein mit Hilfe von fundierten Kenntnissen in der

- Organmedizin,
- psychosomatische Medizin *und*
- Entwicklungspsychologie und Neurosenlehre.

Dem Symptomangebot wie der Not der Patienten in der ärztlichen Praxis ist nicht mehr Herr zu werden ohne psychoanalytisch-psychotherapeutisch-psychosomatisches Wissen, dessen Grundlagen die Entwicklungspsychologie und die Beziehungspathologie sind. In unerklärlichem und geradezu erschreckendem Maße steht die Schulmedizin diesen Tatsachen nach wie vor weitgehend ablehnend gegenüber. Insbesondere die niedergelassenen Ärzte, die sich während der meist langen Betreuungszeit ihren Patienten gegenüber verantwortlich fühlen, beginnen dieses Defizit deutlicher zu spüren.

Die Folge ist ein zunehmend starkes Interesse an Weiterbildung auf dem Gebiet der Psychoanalyse/Psychotherapie. Allein im Raum München befinden sich z.Z. etwa 1000 ärztliche Kollegen – meist in freier Praxis tätig – in Weiterbildung für die Zusatzbezeichnung Psychoanalyse und Psychotherapie, um den Problemen ihrer Patienten wie auch der Arzt-Patienten-Beziehung auf die Spur zu kommen. Diese breitmachende Selbstkritik wird große Auswirkungen auf das Gesundheitswesen haben.

In der vorliegenden Übersicht haben wir uns bemüht, den Kenntnisstand zu diesen Problemen tabellarisch zusammenzufassen. Wir gehen dabei v.a. auf die psychoanalytische Entwicklungspsychologie Freuds mit den Weiterentwicklungen der Psychologie des Selbst und des Narzißmus ein. Die Auswirkungen auf die (pathologische) Persönlichkeitsentwicklung werden insbesondere in der speziellen Neurosenlehre dargelegt. Es folgt das Kapitel zur Psychotherapie mit den verschiedenen Formen therapeutischer Ansätze und Möglichkeiten, deren Hintergrund meist auf der Lehre und den Erkenntnissen der Psychoanalyse beruht. Der Suchende findet die Weiterbildungsmöglichkeiten mit Adressen der einschlägigen

Institutionen, auch Literaturempfehlungen. Angeführt ist auch eine Auswahl der Namen psychotherapeutisch-psychosomatischer Einrichtungen, die es dem Praktiker erleichtern möge, Kontakte herzustellen, um Patienten einzuweisen; die Ausbildungsinstitute haben überdies häufig Ambulanzen, zu denen Patienten überwiesen werden können.

So wendet sich dieses Buch auch an den praktisch tätigen Arzt, der es als Nachschlage- und Übersichtswerk schätzen lernen könnte. In der psychoanalytischen Ausbildung Befindliche finden Zusammenfassungen, die sie sich sonst bei ihrer Arbeit selbst notieren würden, um sich Grundwissen anzueignen und einen Überblick zu gewinnen. Psychologen können Hinweise zur Vertiefung ihres psychoanalytischen Verständnisses finden. Psychagogen wie Sozialarbeiter können für ihre tägliche Arbeit ebenfalls aus den Erkenntnissen der Psychoanalyse und der daraus abgeleiteten Beziehungspathologie Nutzen ziehen.

Die Mitarbeiter des Lektorats des Springer-Verlages - insbesondere Herr Lothar Picht - haben die Zusammenstellung dieses Buches mit Geduld, Verständnis und großem Fachwissen begleitet. Ihnen und der Herstellung des Verlages gilt mein besonderer Dank. Meine Frau Barbara hat mit kritisch-fragender, aber auch ermutigender Haltung die Entstehung des Buches begleitet. Danken möchte ich auch Herrn Dr. phil. Axel Triebel, Lehrbeauftragter für Psychosomatische Medizin der Ludwig-Maximilians-Universität München und Leiter des Wissenschaftsausschusses der „Akademie für Psychoanalyse und Psychotherapie e.V. München", und Herrn Priv.-Doz. Dr. phil. Guntram Knapp, Fakultät für Philosophie der Ludwig-Maximilians-Universität München und Dozent der „Akademie für Psychoanalyse und Psychotherapie e.V. München", von denen ich wertvolle Hinweise erhielt.

München, Jahreswende 1987/88   Rudolf Klußmann

Inhaltsverzeichnis

1 Entwicklungspsychologie, allgemeine Neurosenlehre 1

Libidotheorie (nach Freud) 3

Strukturmodell („psychischer Apparat") 4
Struktur der psychischen Instanzen

Phasenlehre 5
Entwicklungspsychologie - Funktionsphänomenologie der 4 Hauptneurosenstrukturen (mit psychogenetischer Übersicht) - Intentionale Phase (mit Schema) - Orale Phase (mit Schema) - Anale Phase (mit Schema) - Phallische Phase (mit Schema) - Latenzphase - Pubertät

Ich-Psychologie 18

Abwehrmechanismen 18
Verdrängung - Identifikation - Projektion - Regression - Verschiebung - Reaktionsbildung - Konversion - Rationalisierung - Sublimierung - Spaltung - Verleugnung - Psychosoziale Abwehr

Psychologie des Selbst 27

Allgemeines/Narzißmus 27
Entwicklung des narzißtischen Systems - Schema des Narzißmus - Psychosexuelle Entwicklung und Selbst - Entwicklung nach Blanck und Blanck (1978/80) - Stufen der pathologischen narzißtischen Formation - Pathologie des Narzißmus - Zur Diagnostik narzißtischer Störungen - Übertragung bei narzißtischen Störungen

Individuation/Narzißmus nach verschiedenen Autoren . 38
S. Freud - H. Hartmann - M. Balint - R. Spitz - M. S. Mahler - O. F. Kernberg - H. Kohut - E. Jacobson - M. Klein - D. W. Winnicott

Traum 53
  Traumtheorie – Technik der Traumdeutung – Arten der Traumdeutung (des Traumgeschehens)

2 Spezielle Neurosenlehre 57

Konflikt 59
  Verursachung der Neurose nach Freud – Zusammenhang von äußerem und innerem Konflikt

Neurosen 61
  Charakterisierung, Differentialdiagnose, Therapie 61
    Einteilung (geschichtlich) – Begriffsentwicklung – Dynamisches Neurosenverständnis der Psychoanalyse – Typische Charakterstrukturen – Grobe Zuordnung der Konflikte und Symptome zu den Entwicklungsphasen – Neurotische Störungen im Rahmen des Strukturmodells – Abwehrmechanismen und Neurosenstrukturen – Neurosenlehre und psychosomatische Medizin (nosologische Gesamtübersicht) – Symptomorientierte Synopsis der neurotischen und anderer klinischer Bilder – Differentialdiagnose entwicklungsbedingter Störungen – Beurteilung des Schweregrades – Prognostische Kriterien – Therapierbarkeit der Neurose

  Hauptneurosenstrukturen 70
    Schizoide Struktur (mit Fallbeispiel) – Depressive Struktur (mit Fallbeispiel) – Zwanghafte Struktur (mit Fallbeispiel) – Hysterische Struktur (mit Fallbeispiel)

Weitere Persönlichkeitsstörungen 90

  Perversionen 90
    Allgemeines – Phasenspezifische Charakteristik (nach Liebesfähigkeit)

  Charakterneurosen 93

  Symptomneurosen 94
    Schema der Dissozialität

  Borderlinestörungen 95
    Fallbeispiel

Angst, Phobie 100

Allgemeines – Angstformen (1)/(2)/(3) – Körperliche Symptome – Psychophysiologische Zusammenhänge – Angsttheorien Freuds – Primäre Angstinhalte

Phobie 105

Arten von Phobie – Möglichkeiten der Angstverarbeitung

Epidemiologie 108

Verlaufs- und Ergebnisforschung 109

3 Psychotherapie 111

Wissenschaftsgeschichtliche Übersicht 113

Diagnostisches Vorgehen 114

Drei Ziele der Diagnostik – Diagnoseschema – Bedingungen für die Anamneseerhebung – Diagnostische Handlungsschritte der erweiterten Anamnese – Zum psychoanalytischem Erstinterview – Psychoanalytische Diagnostik – Arten von Patienten, die den Psychotherapeuten aufsuchen

Hinweise zur Anamneseerhebung 119

Anamnestische Fragen

Leitfaden zur Antragstellung für Psychotherapie nach den Psychotherapierichtlinien 123

Formblätter 127

Hinweise zur Indikation für besondere Therapieformen 135

Psychoanalyse – Tiefenpsychologisch fundierte Psychotherapie – Analytische Psychotherapie – Analytische Gruppentherapie – Psychotherapie in der Klinik

Psychoanalytische Therapie 138

    Ablauf, Hauptfaktoren und -aspekte 139

        Verlauf der Analyse – Indikation und Gegenindikation – Prognose – Heilungsergebnisse – Übertragung – Gegenübertragung – Widerstand

    Analytische Kurz- oder Fokaltherapie 144

    Analytische Gruppentherapie 145

        Weitere Formen der Gruppenpsychotherapie – Ziel der Gruppenpsychotherapie – Beginnende Interaktion in einer neuen Gruppe – Interaktion zwischen Gruppen – Rangstruktur der Gruppenteilnehmer

Andere psychotherapeutische Verfahren 149

    Ärztliches Gespräch 149

    Gesprächspsychotherapie 150

        „Klientenzentrierte Therapie"

    Logotherapie 151

    Katathymes Bilderleben 151

    Psychodrama 152

    Transaktionsanalyse 153

        Persönlichkeit in einem Strukturdiagramm – Eltern-Ich – Entstehung des Erwachsenen-Ich (ab 10. Monat) – Kindheits-Ich – Komplementärtransaktion (Erwachsenen-Ich – Erwachsenen-Ich) – Überkreuztransaktion – Verdeckte Transaktion – Zweiebenen- oder Duplextransaktion – Erwachsenen-Ich blockiert oder außer Dienst gestellt (Psychose) – Erwachsenen-Ich durch Kindheits-Ich getrübt, Eltern-Ich dabei blockiert (Psychopath) – Erwachsenen-Ich durch Eltern-Ich getrübt, mit blockiertem Kindheits-Ich

    Gestalttherapie 159

    Bioenergetik 160

    Primärtherapie 160

    Verhaltenstherapie 161

    Biofeedback 162

        Wirkungsprinzip

Themenzentrierte Interaktion 164

Familientherapie 164

Autogenes Training 165

Hypnose 166

Konzentrative Bewegungstherapie 167

Stationäre Psychotherapie 168

Adressen klinischer Einrichtungen in der Bundesrepublik Deutschland (Auswahl) 168

4 Ausbildung – Weiterbildung 171

Aus- und Weiterbildung 173

Allgemeines 173
   Ausbildung der Medizinstudenten – Fortbildungsmöglichkeiten für den Praktiker

Erwerb der Zusatzbezeichnung „Psychotherapie" 174

Erwerb der Zusatzbezeichnung „Psychoanalyse" 174

Weiterbildungsrichtlinien der „Deutschen Gesellschaft für Psychotherapie, Psychosomatik und Tiefenpsychologie e.V." (DGPPT) 176

Literaturliste zur Orientierung für die Weiterbildung zum psychoanalytischen Therapeuten 177

Aus- und Weiterbildungsinstitute der DGPPT 180

Balint-Arbeit 181

Allgemeine und Übersichtsliteratur 183

1 Entwicklungspsychologie, allgemeine Neurosenlehre

Libidotheorie (nach Freud)

1. Dualistisch geprägt: Unterscheidung von Selbsterhaltungs (= Ich-)Trieben (Hunger, Macht) und Sexualtrieb (Arterhaltung); Strukturmodell: unbewußt, vorbewußt, bewußt;
2. monistisch geprägt (1914): Selbstliebe (Narzißmus) wird in die Sexualtriebe mit einbezogen; Instanzenmodell: Es – Ich – Über-Ich;
3. dualistisch geprägt (unter dem Eindruck des 1. Weltkriegs): Lebens- und Todestrieb.

Libido: Grundantrieb, der sowohl das bewußte als auch insbesondere das unbewußte seelische Leben durchwirkt;
– narzißtische Libido: autoerotisch, Interesse auf das Selbst bezogen,
– Objektlibido: Umwelt mit Libido besetzt.

Instinkt: festgelegte und vererbte Reaktionsweisen auf der Basis der Reflexe.

(Psycho)sexualität: alles, was mit „Lust und Liebe" geschieht, jedes Motiv, jeder Antrieb, der mit sinnlicher Sehnsucht geschieht, der nach Erfüllung und Befriedigung drängt;
genitale Lust: Untergruppe der Sexualität.

Alle (An)*triebe* haben gemeinsam:
– ein Ziel,
– ein Objekt,
– eine somatische Quelle,
– Drangcharakter,
– große Lust bei Befriedigung,
– sind ans Körperliche gebunden.

Erkenntnisse Freuds:
– Es gibt eine kindliche (infantile) Sexualität (Lustgewinn aus erogenen Zonen: Streicheln, Saugen, Spielen mit Genitalien, Afterschleimhaut).
– Es gibt eine Entwicklung dieser Sexualität (auch beim Erwachsenen vorzufinden, hier z. T. als Perversionen anzusehen; das Kind jedoch ist „polymorph-pervers"; das Autoerotische ist hier normal; bei Erwachsenen Fixierungen auf Partialtriebe möglich; Ansatz von Neurosen).
– Es gibt einen zweizeitigen Ansatz der sexuellen Entwicklung mit einer Latenzperiode (Triebe abgebaut, Schulzeit). Die autoerotischen Partialtriebe schließen sich in der Reife zu einer normalen Liebesfähigkeit zusammen; diese wird unter das Primat der Genitalien gestellt.
– Der Mensch ist bisexuell veranlagt.

4 Libidotheorie (nach Freud)

- Die Entwicklung ist störbar.
- Sexualität ist nicht gleich (Aktivität zur) Fortpflanzung.

Strukturmodell („psychischer Apparat")

Es:
- unterste, ursprüngliche Schicht,
- arbeitet nach dem Lust-Unlust-Prinzip,
- will sofortige und totale Befriedigung der Impulse,
- kennt keine Logik, Moral, Beständigkeit,
- ist zeitlos, unberechenbar, unbelehrbar,
- hängt eng mit dem Somatischen zusammen.

Ich:
- zu definieren aufgrund seiner Funktionen (Ich-Funktionen):
  · Wahrnehmung (Unterscheidenkönnen),
  · Gedächtnis,
  · (willkürliche) Motorik;
- arbeitet nach dem Realitätsprinzip,
- denkendes, planendes System,
- Träger des Bewußtseins (wenn auch z.T. unbewußt);
- synthetische Funktion des Ich: es muß umgehen mit
  · Verboten des Über-Ich,
  · Strebungen der Umwelt,
  · muß Erfahrungen sammeln, um in die Umwelt eingreifen zu können;
- steuert „wie der Reiter das Pferd",
- schützt durch Entwicklung von (Signal)angst (Folge: Gegenbesetzungen des Es, die zu Abwehrmechanismen führen),
- ist psychisches Selbsterhaltungsorgan,
- ist die „eigentliche Angststätte" (Freud).

Über-Ich:
- System aller Motive, die aus der Familie oder Sozietät genommen sind,
- Gewissen (aber eigenständiger, personaler),
- einschränkend, verfolgend,
- hängt mit gefürchtetem Eltern-Objekt zusammen.

Ideal-Ich:
- Teil des Über-Ich,
- Maßstab der Eigenentwicklung,
- geliebte Seite des Vaters (der Mutter),
- liefert dem Individuum „narzißtische Prämien" für idealorientiertes Verhalten.

Die psychischen Instanzen (Struktur). (Nach Battegay 1971)

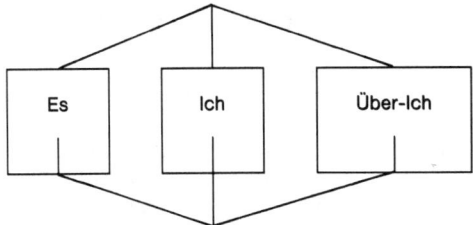

Zentraler Inhalt der 3 Instanzen ist das **Selbst.**

Phasenlehre

Freud:
- oral,
- anal-sadistisch,
- phallisch,
- Latenzperiode,
- genital.

Abraham:

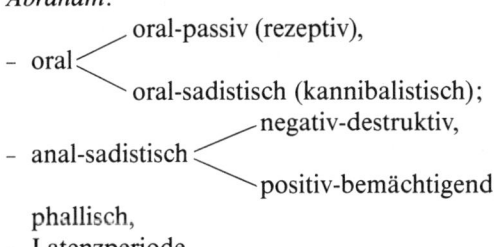

- phallisch,
- Latenzperiode,
- genital.

Schultz-Hencke (Antriebserleben):
- intentional,
- oral-kaptativ,
- anal-retentiv,
- motorisch-aggressiv,
- urethral,
- phallisch,
- Latenzperiode,
- genital.

Analogien/Charakterisierung der spezifischen Phasen:
- „Tischleindeckdich" (Tischlein für orale Befriedigung; Esel für Besitz, anale Phase; Knüppel für motorisch-aggressive - phallische - Phase).
- Wie Ordensregeln (Armut, Gehorsam, Keuschheit).
- Phasen bauen aufeinander auf.
- Ist eine Phase gestört, kann die darauf folgende nicht adäquat bewältigt werden.

6 Libidotheorie (nach Freud)

Entwicklungspsychologie. (Nach Bräutigam 1978)

Lebensalter, psychosexuelle Phase	Körperzone und Organmodus	Psychosozialer Modus	Grundgefühl und psychosozialer Konflikt	Neurosenpsychologische Fixierung
1. Lebensjahr:				
– intentionale Phase	Haut, Wärmegefühl, gleichmässige Ruhe	atmosphärisches Fühlen, Hören, Riechen, Sehen	Urvertrauen gegen Urmißtrauen	schizoide oder narzißtische Neurose
– orale Phase	Mund: einverleibend und kaptativ zupackend	rezeptives Aufnehmen und sich verschließen	Nähe gegen Trennung	depressive Neurose
2.-3. Lebensjahr:				
– anale Phase, muskuläre Phase	Anus, Muskulatur, Urethra	sich bewegen und durchsetzen; festhalten und hergeben	Autonomie gegen Scham und Zweifel	zwanghafte Neurose
– anal-urethrale Phase	retentiv-eliminativ; spannen-entspannen	Trotz – Fügsamkeit		
4.-6. Lebensjahr:				
– phallisch-lokomotorische Phase	Genitale: Penis – Scheide	Geschlechtsrollenfindung; Werben in Phantasie und Spiel	Initiative gegen Schuldgefühl	hysterische Neurose
– genital-ödipale Phase	eindringen – umschließen	vergleichen und konkurrieren		

Funktionsphänomenologie der 4 Hauptneurosenstrukturen. (Nach Hau 1986)

Bereich \ Struktur	– schizoid	– depressiv	– zwangsneurotisch	– hysterisch
Wahrnehmung	blaß – „fremd"	elektiv – getrübt	selektiv – einzelheitlich	lückenhaft – flüchtig
Vorstellung	überschießend irreal, nicht füllig	arm – dämonisch	magisch – eingeengt	wuchernd – verdrängt
Denken	abstrakt – konstruierend	verlangsamt – eingeengt	induktiv – systematisierend	assoziativ – sprunghaft
Gefühl	inadäquat – unheimlich	lustlos – maßlos	zwiespältig – eingeengt	schwankend – überschießend
Motilität	disharmonisch – eckig	matt – verarmt	gebremst – verkrampft	impulsiv – ungesteuert
Handlung	gesperrt – abrupt	schwunglos – initiativearm	zögernd – vermeidend	planlos – propulsiv

Psychogenetische Übersicht der 4 pathologischen Hauptstrukturen

Zeitlicher Rahmen	Antriebs- und Funktions-Grundlagen	Phasenspezifische pathologische Einflüsse	Fehlregulationen usw., Strukturbildung	Psychische Symptome	Charakterliche Symptome	Somatische Symptome	Struktur
Fetalzeit bis ca. 1½ Jahre	Intentionalität - Sensomotorik - primärer Narzißmus - Oralität - Prä-, peri- und postnatale Übergangsforderungen - Differenzierung der Ich-Es-Matrix - Selbstgefühl und -bewußtsein - neue Umwelt und Objekte	Verschiedenartige Formen der Ablehnung, der Existenz, von Lebensäußerungen - Nichtwahrhabenwollen - Verleugnungen mit Schuldgefühlen - Beseitigungswünsche und -versuche - reaktive Verpflichtungsgefühle	Existenzielle Grundangst - mangelndes oder fehlendes Urvertrauen - gestörte Vermittlung der Umwelt - archaische Mechanismen - Inkohärenzen in den Funktionen - verleugnende Rückzugstendenzen oder extreme Wachheit im Wechsel	Strukturfragilität - Depersonalisation, Derealisation, Desozialisation - ubiquitäre, floride Angst - Kontakt-, Beziehungs- und Leistungsstörungen - Autismus, Halluzinationen, paranoische Erlebnis- und Seinsweisen	Abstrakte Theoretiker mit paranoiden Zügen - sensitive und gemütlose Psychopathen - Sektierer - Dissozialität, Sucht, Perversion, Prostitution mit emotionaler Leere, Rationalität und Inkohärenzen	Progrediente, meistens frühe psychosomatische Erkrankungen = Organpsychosen: Immunsystem, Haut, Muskulatur, Lunge, Darm, Sensorium usw. - Stupor - Katatonie: Starre oder Bewegungssturm - Borderline - Schlafsucht	Schizoid
1. Lebensjahr bis ca. 2½ Jahre	Oralität: passiv, rezeptiv, aggressiv, obstinat - dadurch narzißtischer (Selbstwert mitbestimmt - orale, dann auch anale Abgrenzungen und Objektivierungen - Lokomotorische Orientierung - Introjekte	Orale Versagungen, Vergewaltigungen oder Willkür - Genußneid oder Feindlichkeit - Nahrungsarmut oder Ernähren statt Lieben - dabei extreme Schuld- und Verpflichtungsgefühle - Nichtshabendürfen	Keine stabile oder konstante innere und äußere Objekte - narzißtische Überwertung der Oralität = orale Fehlhaltung = oraler Riesenanspruch - dadurch ständig enttäuscht - reaktive Impulsabriegelungsbereitschaft	Apathie - Niedergedrücktheit - Lustlosigkeit, Initiativelosigkeit, Müdigkeit - alles beängstigend, schwer, unerträglich - Selbstanklage - getriebene Unruhe - nach gebüßter Strafe manische Befreiung	Sektierer - extreme Heilsarmisten - fanatische Heilberufene - asthenische und selbstunsichere Psychopathen - Potatorium - Süchte - Gravidititätssucht - Freß- und Magersucht - Diebstahl - Raub - Raubmord	Adynamie - Agrypnie - Anorexie - Hypotonie - adyname Obstipation - Malabsorption - Magen- und Darmstörung - Amenorrhö - Hypoglykämie - niederer Stoffwechsel - allgemeine Schwäche und Erschöpfung	Depressiv
ca. 2.–4. Lebensjahr	Anale und urethrale Retentivität, Intimität und Aggressivität - zielgerichtete Motorik - erste funktionelle Ich-Ausreifung - Allmachtgefühle - magisches Erleben und Beleben der Wahrnehmungen - Identifikationen	Anal-retentive, -intime und -aggressive Vergewaltigungen - extreme motorische Behinderungen - unbedingter Gehorsam - Kastrationsdrohungen - aggressive Willkür - Brutalität - den Willen brechen	Trotzreaktionen - Eigensinn - dann: Angst- und Schuldgefühlambivalenz - Angstidentifizierungen - Übergefügigkeit, Geiz, perfektionistische Tendenzen - Ritualisierung von Handlungen zur Angstbewältigung	Zwangssymptome als Gedanken, Vorstellungen, Affekte, Impulse, Handlungen, Befürchtungen usw. - „primäre Zwangssymptome": mit Impulscharakter - „sekundäre ...": mit Funktion des „Ungeschehnmachens"	Ideologiefanatiker - Querulatoren - explosible, geltungssüchtige, fanatische Psychopathen - Vagabundieren - Pennertum - Koprophilie - Exhibitionismus - Gewaltverbrechen - Totschlag	Muskuläre Verkrampfungen - Wirbelsäulensyndrome - Gelenkbeschwerden - Zephalgie - extrapyramidale Störungen - spastische Darm-Magen-Störungen - Dysmenorrhö - Angina pectoris - Hypertonie	Zwangsneurotisch

8 Libidotheorie (nach Freud)

Zeitlicher Rahmen	Antriebs- und Funktions-Grundlagen	Phasenspezifische pathologische Einflüsse	Fehlregulationen usw., Strukturbildung	Psychische Symptome	Charakterliche Symptome	Somatische Symptome	Struktur
ca. 4.–5. Lebensjahr	Weitere sexuelle, motorische und funktionelle Ausdifferenzierung und Ich-Ausreifung – Phantasietätigkeit, assoziatives und logisches Denken – hohes Integrationsniveau – soziale und ödipale Interaktionen	Sexuelle Verwöhnung oder Versagung – motorische Verwöhnung – Wechselndes Identifizierungsangebot – mangelnde Selbständigkeitsanforderungen – realistischer Informationsmangel	Identitätsunsicherheit – Rollenwechsel, auch sexuell – Kompensationsversuche: per Phantasie und assoziativem Denken sowie Hyperaktivität und Planlosigkeit – Sublimierungsdrang – pseudologische Tendenzen	Angstzustände – Unruhezustände – Reizbarkeit – Phobien – häufige Stimmungsschwankungen – Verwirrtheitszustände – Dämmerzustände – Pseudologia phantastica – Ohnmachtsanfälle – Agitiertheit	Sublimer Ästhetizismus – Bohemianismus – Prostitution – Vagabundieren – Verschlampen – hyperthyme, stimmungslabile, willenlose Psychopathen – Nymphomanie – Altruismus	Paroxysmen: muskulär, kardiovaskulär, intestinal, genital usw. – zeitlich, lokal und graduell multiple funktionelle Organstörungen – Konversionssymptome: sensorisch, muskulär usw.	Hysterisch

Intentionale Phase (erste Wochen bis Monate)

1. Der Säugling nimmt über die Tiefensensibilität (autonomes Nervensystem) wahr (koenästhetischer Zustand):
   - Gleichgewichtsreize, Rhythmus, Tempo, Dauer der Bewegung,
   - Körperhaltung,
   - Spannungen in der Muskulatur, Vibration,
   - Haut- und Körperkontakt,
   - Klangfarbe und Tonskala beim Sprechen.
2. Der Säugling braucht:
   - gleichmäßige Ruhe,
   - reichlich Hautkontakt,
   - die Möglichkeit des sorglosen Sichgehenlassens.
3. Der Säugling entwickelt:
   - „Urvertrauen",
   - Zufriedenheit, Behagen,
   - Lust an der Welt,
   - Vertrautheit mit der Welt,
   - seelische Wärme und Nähe, Fähigkeit zu lieben.

Störungsmöglichkeiten:
- schwere Krankheit, Tod der Mutter („Objektverlust"),
- feindselige Einstellung der Mutter,
- häufiger Ortswechsel,
- frühe Krankenhausaufenthalte (Heim, Hort, Krippe).

(Spätere) Folgen:
- Klagen über Sinnverlust des Lebens,
- Selbstmordtendenzen,
- Unvermögen, mit praktischen Dingen umzugehen,
- Angst vor Durchbruch kalter Mordtendenzen,
- Unfähigkeit, jemanden zu lieben,
- Depersonalisationserscheinungen,
- Entfremdung vom eigenen Ich,
- Gefühle von Leere und Sinnlosigkeit,
- Kontaktstörungen,
- *körperlich:* Hauterkrankungen, insbesondere chronische Ekzeme, Störungen der Sinnesorgane (Gleichgewichtsstörungen), Asthma bronchiale.

Schizoide Struktur:
- Urmißtrauen,
- großes Unabhängigkeitsbedürfnis,
- Mangel an Intimität,
- Autarkiestreben,
- Distanz, Kühle,
- leichte Kränkbarkeit,
  aber auch

10 Libidotheorie (nach Freud)

- souveräne Selbständigkeit,
- affektlos-kühle Sachlichkeit,
- scharfe Beobachtungsgabe,
- eigene Meinung,
- keine Gefühlsduselei.

Abwehrmechanismen:
- Projektion,
- Isolierung,
- Rationalisierung,
- Regression,
- Spaltung,
- Verleugnung.

Schema der intentionalen Phase

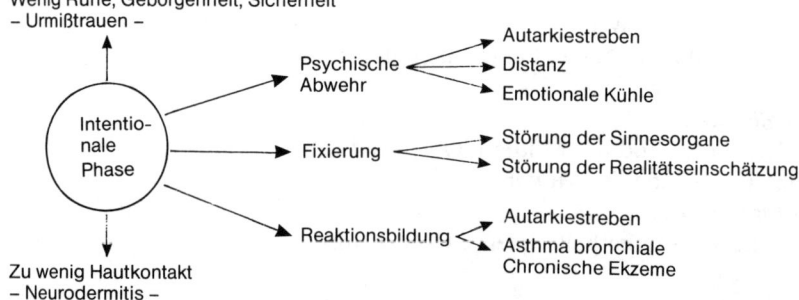

Orale Phase (bis 1½ Jahre)

Die Liebesbeziehung zur Mutter wird wesentlich durch die Bedeutung des Essens gekennzeichnet (zunächst passiv-rezeptiv-aufnehmend, dann kaptativ-aktiv-zupackend):
- das lustspendende Objekt wird mit Libido besetzt,
- oral akzentuierte Liebe („Liebe geht durch den Magen"),
- Greifen („Greifling") bedeutet Machtzuwachs,
- zunehmende Sprachentwicklung mit beginnender Symbolisierungsfähigkeit,
- Beginn der diakritischen Phase (Fremden- und Achtmonatsangst),
- Beginn der Trennung von Selbst- und Objektrepräsentanzen (gute/böse Mutter – Gewährung/Versagung).

Störungsmöglichkeiten:
- Versagung bei exakter Pflichtmutter,
- plötzliches Abstillen,
- langes Hungernlassen,
- Ablehnung des Kindes durch die Mutter,
- Krankenhaus-, Heim-, Hort-, Krippenaufenthalte,

- Tod der Mutter,
- zu große Verwöhnung („orale Vergewaltigung"),
- ängstlich übertriebene Besorgtheit.

(Spätere) Folgen:
1. psychisch:
- Hoffnungslosigkeit und Verzweiflung,
- Selbstanklagen,
- Kraftlosigkeit, Mattigkeit (Morgenmüdigkeit!),
- Sinnlosigkeit des Lebens,
- Suizidwünsche, meist verschwiegen;

2. körperlich:
- Darniederliegen vitaler Lebensimpulse,
- Schlafstörungen,
- Appetitlosigkeit oder Freßsucht,
- Morgenmüdigkeit,
- sexuelle Apathie bis zur Impotenz,
- Anginen,
- Schluckstörungen,
- Gastritis, Zwölffingerdarmgeschwür,
- Fett- und Magersucht.

Depressive Struktur:
- große Antriebsarmut,
- Überbescheidenheit,
- keine schöpferischen Phantasien,
- Welt ist grau, hat keinen Aufforderungscharakter,
- Flucht in die Traumwelt,
- Sichzurückziehen („Eigenbrötler"),
- passive (riesenhafte) Erwartungsvorstellungen,
- sekundäre neurotische Bequemlichkeitshaltung,
- Hingabe ist Hergabe, Selbstaufgabe, Auslieferung,
- Asketen, Träumer, Pessimisten, Dulder, Märtyrer,
- Mangel an Selbstvertrauen,
- große Angst vor Verlust der Liebe des Objekts.

Aber auch:
- altruistische, fürsorglich-hilfsbereite Einstellungen,
- geduldiges Wartenkönnen, anhänglich in Gefühlsbeziehungen,
- Fähigkeit zum Verzicht
- leichte Anpassung an harte Lebensbedingungen.

Abwehrmechanismen:
- Identifikation,
- Introjektion,
- Verdrängung,
- Regression,
- Projektion.

12 Libidotheorie (nach Freud)

Schema der oralen Phase

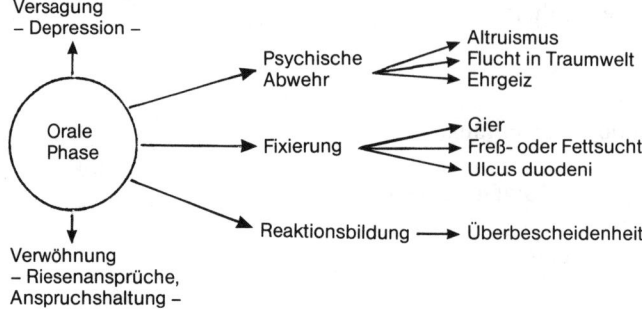

Anale Phase (ca. 1½–3 Jahre)

1. Akzentuierung des Zwiespalts zwischen: Verweigern – Herausgebensollen, Sich-Beherrschen – Sich-gehenlassen-können.
2. Erster Ansatz zu aggressiven Impulsen (jemanden „anscheißen"), Erfahrung des Eigenwillens und der Selbstbehauptung.
3. Kategorien der Ordnung, Zeit, Sauberkeit.
4. Vertrauen zu dem, was in einem steckt, was man „ausdrücken", produzieren kann.
5. Erleben des Rückzugs in die eigene Intimität.

Störungsmöglichkeiten: Sauberkeitserziehung (-einstellung) zu früh – zu streng – zu prüde.

(Spätere) Folgen:
1. *psychisch:*
   - Sexualstörungen,
   - Stottern,
   - Zauderer,
   - starrer Moralist,
   - Geiz,
   - neurotischer Eigensinn („analer Charakter"),
   - Querulant,
   - korrekter Beamter,
   - Sammler,
   - Bankier,
   - Wissenschaftler;
2. *körperlich:*
   - chronische Verstopfung, Diarrhö,
   - Colitis ulcerosa,
   - Vaginismus, Impotenz,
   - Migräne,

- erhöhter Blutdruck,
- Krankheiten des Bewegungsapparates.

Zwanghafte Struktur:
- mangelnde Spontaneität,
- zwanghaftes Kausalitätsbedürfnis,
- Gefühlsverarmung,
- Angst vor Hingabe, vor dem Wechsel,
- Zentripetalität („Totstellreflex"),
- ständige Skrupel, teils Pseudobescheidenheit,
- Tendenz zum Absoluten, ewig Gültigen,
- Ausschalten des Lebendigen,
- Sicherungstendenz,
- wandelndes Über-Ich.

Aber auch: verläßlich, stabil, pflichttreu, planvoll.

Abwehrmechanismen:
- Ungeschehenmachen,
- Reaktionsbildungen,
- Isolierung,
- Verschiebung (z. B. auf das Kleinste),
- Rationalisierung (Ideologiebildung),
- Sublimierung (zu früh),
- Regression.

Alles Triebhafte und Animalische wird gefürchtet (Bakteriophobie). *Aggression:* Rechthabenwollen statt Auseinandersetzung. Dynamische Impulse werden gestoppt →Weltunvertrautheit (Sicherungsstreben) →schlechtes Gewissen, Schuldgefühle; *genetisch:* Angst vor Liebesverlust bei Vater und Mutter, Kastrationsangst, Über-Ich- und Gewissensangst.

Schema der analen Phase

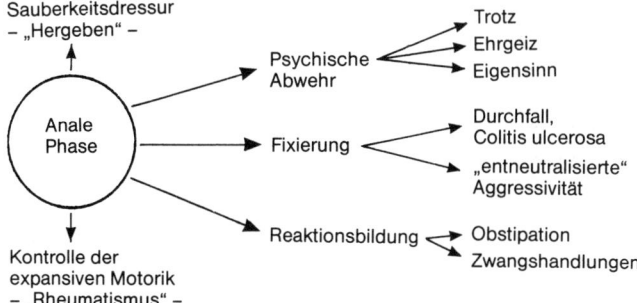

Libidotheorie (nach Freud)

Phallische Phase (4.-6. Lebensjahr)

Drei Hauptaufgaben in dieser Phase:
1. Konstellation des Ödipuskomplexes:
   - der gegengeschlechtliche Elternteil wird umworben,
   - Scheitern an der Realität mit Angst verbunden (Kastration),
   - bei Mädchen Vorstellung, die Kastration sei schon vollzogen,
   - *Lösung:* Identifikation mit dem Vater/der Mutter (Überwindung des Ödipuskomplexes).
2. Bewußtes Erleben des Geschlechtsunterschieds:
   - Doktorspiel als gesunde Ich-Funktion.
   - Resultat: Sich-mit-der-eigenen-Rolle-Abfinden (Freud: „Die Anatomie ist unser Schicksal"),
   - Entwicklung eines „Körperstolzes" ohne Scham.
3. Infantile Sexualforschung:
   - Fragen nach Geburt, woher die Kinder kommen,
   - Vorstellungen bei Fixierung auf:
     · orale Phase: Befruchtung und Geburt durch den Mund,
     · anale Phase: „Kloakentheorie": Kinder kommen durch den After auf die Welt,
     · motorisch-aggressive Stufe: Eltern ringen miteinander, Vergewaltigungsphantasien,
     · urethrale Stufe: Eltern urinieren miteinander.

Störungsmöglichkeiten:
- wenn übrige Phasen nicht störungsfrei durchlaufen sind,
- unbefriedigter Partner bindet das Kind ersatzweise an sich,
- „seelisches Aprilklima", hin- und hergerissen zwischen den Eltern, keine klare Linie,
- jeweiliger Elternteil lehnt Werben ab,
- Elternteile sind keine adäquaten Vorbilder, haben sich selbst nicht mit ihrem Geschlecht identifizieren können.

(Spätere) Folgen:
1. *psychisch:*
   - Aufdringlichkeit, Distanzlosigkeit,
   - ewiger Sohn, ewige Tochter,
   - phallische Frau, Vamp, Dirne,
   - homosexuelle Entwicklungen,
   - starke Geschwisterbindungen,
   - Don-Juan-Typen,
   - frei flottierende Angst,
   - Phobien,
   - Sexualneurosen, Perversionen,
   - Arbeits- und Kontaktstörungen, Eheprobleme;

2. *körperlich:*
- Konversionssymptome (Lähmungen),
- Störungen der Sinnesorgane,
- Somatisierung der Angst (Schwitzen, Tachykardien, Atemnot, Erstickungsanfälle).

Hysterische Struktur:
- mangelnde Zentriertheit,
- Subjektivität,
- überwertiges Geltungsbedürfnis,
- Zentrifugalität (umweltbezogen),
- Nichtannahme der Realität (unpünktlich),
- Mangel an Gefühlsechtheit,
- Konversionsneigung,
- Rollenspielen.

Aber auch: risikofreudig, elastisch, lebendig, spontan, neugierig, nimmt nichts zu ernst.

Abwehrmechanismen:
- vorwiegend Verdrängung,
- Konversion,
- Projektion der eigenen Schuldgefühle auf einen Sündenbock,
- Nicht-ernst-Nehmen.

Genetisch: Entfaltung der Realitätsneugier mißglückt, die Findung der eigenen Geschlechtsrolle mißlingt ebenso wie die Bewältigung des Ödipuskomplexes.

Schema der phallischen Phase

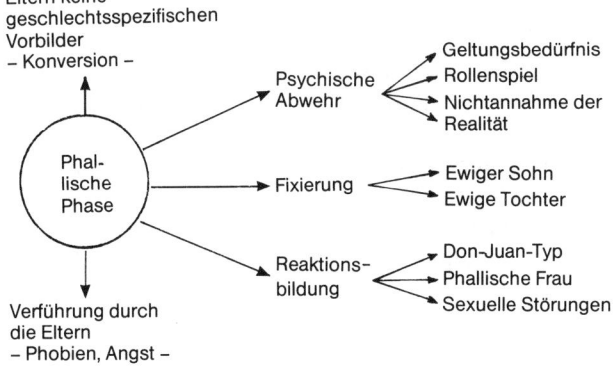

16 Libidotheorie (nach Freud)

Latenzphase (6.–10. Lebensjahr)

- Libidoentwicklung ruht,
- Ich-Funktionen bilden sich aus,
- anschaulich-begrifflich-realistisches Denken beginnt,
- das Kind wird schulfähig:
  - Wissensdrang nach Realität befriedigt,
  - denkerisch-begriffliche Überwindung der Realität,
  - Anwendung der in der phallischen Phase erworbenen Bezugsfähigkeiten zu anderen Menschen,
  - Kind ist sozial reif geworden,
  - Gruppenfähigkeit in der Schule;
- Über-Ich orientiert sich auch an Lehrerpersönlichkeiten,
- aus Familienkreis in Klassengemeinschaft,
- Herrschaft des Ich-Ideals,
- Triebthematik kann sublimiert werden (höheres soziales Niveau),
- Zuwachsen Ich-gerechter Energie,
- genitale Motive treten in den Hintergrund,
- je gesünder ein Kind, desto deutlicher die Latenzphase,
- Störungen (Kinderneurosen):
  - Eßstörungen,
  - Bettnässen,
  - nächtliches Aufschreien,
  - Einkoten,
  - Tics.

Pubertät (12.–15. Lebensjahr)

- Enormer hormoneller Schub,
- Vorpubertät (Flegeljahre), ab 10. Lebensjahr:
  - Libido enorm verstärkt,
  - Es-Kräfte erhalten Zuwachs,
  - verdrängte Triebe drängen hervor,
  - partielle Triebstrebungen werden neu mobilisiert (*oral:* Freßphase; *anal:* Schmutzphase; *aggressiv:* Wildheit, Grausamkeit);
- Ich zwischen Es und Über-Ich,
- zunehmend Strafängste selbstzerstörerischer Art (erstmalige Suizidtendenzen),
- Pubertätsexzesse: Halbstarke, auch Asketen,
- Gefahr: Es oder Über-Ich werden zu Diktatoren,
- wichtig: sublimierte Ersatzbefriedigungen (Sport, Basteln, Musik, Tanzen, Freundschaften),
- Ödipuskonflikt aktualisiert:
  - erotischer Anteil verlagert sich auf Elternersatzfiguren: Idol, Lehrer,
- Onanie als genitaler Anteil nur dann pathologisch, wenn sie nicht unter das sexuelle Primat im Partnerbezug einmündet und als narzißtischer Bezug beibehalten wird.

Störungen:
- Perversionen können sich ausprägen,
- Psychosen können erstmals auftreten,
- narzißtische Positionen können festgehalten werden mit
  · Alleingängertum,
  · Selbstbespiegelung.

Gelernt werden muß:
- Ablösung von den Eltern,
- Ausreifung aller Funktionen mit zunehmender Verselbständigung,
- Reifung der Liebesfähigkeit zur reifen Partnerliebe.

Mögliche Folgen bei extremem Über-Ich:
- Pubertätsaskese: Abwehrvorgang zur Bewältigung der Triebangst (auf jede Triebbefriedigung wird verzichtet),
- Intellektualisierung: gedankliche Überwindung von Triebprobleme (mit Grübelzwang den Sinn des Lebens ergründen).

Es als Diaktator:
- keine Entwicklung des Spannungsbogens,
- fehlender Halt, fehlende emotionale Zuwendung in Familie mit
  · Verwahrlosung,
  · Triebdurchbrüchen,
  · Ansätzen zur Kriminalität,
  · Suchttendenzen.

Literatur

Abraham K (1925) Psychoanalytische Studien zur Charakterbildung. Internationaler Psychoanalytischer Verlag, Leipzig
Abraham K (1949) Selected papers of Karl Abraham. Hogarth, London
Abraham K (1955) Clinical papers and essays on psychoanalysis. Hogarth, London
Battegay R (1971) Psychoanalytische Neurosenlehre. Huber, Bern
Bräutigam W (1978) Reaktionen – Neurosen – Abnorme Persönlichkeiten. Thieme, Stuttgart New York
Freud S (1952) Gesammelte Werke, Bd 1–17. Imago, London
Hau TF (1986) Psychosomatische Medizin. Verlag für angewandte Wissenschaften, München
Riemann F (1973) Grundformen der Angst. Reinhardt, München
Schultz-Hencke H (1951) Lehrbuch der analytischen Psychotherapie. Thieme, Stuttgart New York

Ich-Psychologie

Wie verhält sich das Ich, wenn es durch das Es bedroht wird?

Abwehrmechanismen (Funktionen des Ich, mit denen es die Angst mildern, abweisen oder sich ersparen will):
- abgewehrt wird immer Angst und Unlust,
- Motiv (Trieb, Affekt) wird frustriert →Angst tritt auf →Angst ruft Abwehr hervor →Abwehrmechanismen treten auf;
- Abwehrmechanismen richten sich gegen ein Triebmotiv;
- Abwehrmechanismen sind normal und ubiquitär, können jedoch auch führen zu
  · Realitätsverlust,
  · dynamischem Kräfteverlust,
  · schweren Charakterveränderungen,
  · Körperstörungen;
- Abwehrmechanismen ersparen Angst, kosten Freiheit und Lebendigkeit.

Beispiel: Ein Kind möchte einen Keks essen, der im Schrank verschlossen ist.
Es-Motiv: „Ich möchte einen Keks essen." Der Schrank ist verschlossen. Das Kind erlebt heftige Unlust und antwortet mit Aggression, es kann
- Wutanfälle bekommen und an die Schranktür schlagen,
- sich überlegen, daß die Eltern verboten haben, zu dieser Zeit einen Keks zu essen (wie werden die reagieren?),
- sich ablenken.

Reifste Reaktion: es sucht den Schrankschlüssel oder fragt die Eltern.

Abwehrmechanismen

Verdrängung

- Leugnung und Isolierung,
- Nichtwissenwollen, Nichtsehenwollen mit der Folge: Lücken im Erkennenkönnen der Welt und der eigenen Person; also:
- Einschränkung der Realitätswahrnehmung mit
  · Fehlurteilen,
  · Fehlerwartungen,
  · neurotischen Symptomen, wenn verdrängte Impulse unkontrolliert vordrängen („partielle Seelendummheit").

Ziel der Behandlung:
- Impulse wieder wahrnehmen,
- sich damit auseinandersetzen,
- Entscheidung treffen hinsichtlich eines echten Verzichts oder echter Tat.

Beispiel: Das Kind tut so, als gebe es den Keks nicht, es schaltet eine wichtige Realität aus und leugnet sie partiell und isoliert den Keks und den Wunsch danach.

Identifikation

- Fremde Motive werden verinnerlicht, als eigene betrachtet,
- Identifikation mit dem wahren Träger der Motive,
- je früher und prägenitaler die Identifikationen, desto globaler, starrer und individueller sind sie.

Normal: Identifikation im Rollenspiel, d. h. mit der Erwachsenenwelt vertraut werden. Identifikation kann jederzeit aufgegeben werden, im Gegensatz zur neurotischen;
- partielle Identifikation: später (hysterisch), nicht so fest fixiert
- totale Identifikation: früher (intentionale, orale Phase), tiefsitzender, starrer;
- durch Synthese und Assimilation wird das abgewehrt, was das Ich nicht fernhalten kann.

Positive Seite: Identifikation aus Liebe, ohne Abwehr

Neurotische Identifikationen:
- Identifikation mit einer archetypischen, mythischen Gestalt.
  Bei hysterischen Strukturen: Identifikation mit Maria, einem Heiligen (Abwehr tabuisierter Wünsche, vor Sexualität, Angst vor Schwangerschaft), aus der Angst wird eine Tugend gemacht.
  Bei Psychotikern: Schuldabwehr; eigene Persönlichkeit wird aufgegeben: psychotische Inflation mit Ich-Verlust; „Ich-Mythisierung".
- Identifikation mit Elternfiguren.
  Äußerlich werden die Eltern oft abgelehnt
  (spielt bei männlicher Homosexualität eine Rolle);
  Identifikation mit dem geliebten Toten (Tod als Realität verleugnet, Verlust an Eigenständigkeit, keine Trauerarbeit).
- Identifikation in der Depression.
  Endlose Selbstanklagen als Aggression gegen das introjizierte Objekt, verstanden als Rache des Ich. Im Umweg über die Selbstbestrafung wird Rache genommen. Nimmt alle Libido in Anspruch (keine Auseinandersetzung mit Umwelt mehr).
- Identifikation bei „Gefühlsansteckung".
  Abwehr der eigenen selbstkritischen Reifung;
  psychische Identifikation mit anderen (Mädchen), wobei Schuldgefühle durch hysterisches Leiden beschwichtigt werden (Massenhysterie).

- Identifikation mit dem Angreifer (nach A. Freud 1964).
  Der Bedrohte verwandelt sich in den Bedroher,
  Flucht nach vorn, Pseudotapferkeit aus Angst,
  Bewältigung des Umgangs mit angsterregenden Objekten der Außenwelt,
  Schuldprojektion nach außen (beim Kind Durchgangsstadium, beim Erwachsenen neurotisch).
- Identifikation aus Abwehr eigener Impulse.
  Der zu Seitensprüngen neigende Partner projiziert diese Wünsche in Form von Eifersucht auf den Partner; kann bis zur Wahnbildung führen.

Beispiel: Das Kind wehrt seinen Wunsch nach dem Keks ab, indem es sich mit der Mutter identifiziert, die während der Arbeit zu dieser Zeit auch nicht essen kann. Das Kind spielt „Mutter", ahmt ihre Tätigkeit nach.

Projektion

- Der Unlust erregende Impuls wird in die Außenwelt verlagert; Zuschreibung eigener Triebregungen an den anderen.
- Impulse aus dem Es und Über-Ich werden nicht im Ich, sondern in der Umgebung wahrgenommen;
- bei projizierten Über-Ich-Impulsen wird der andere schuldbewußt erlebt;
- bei projizierten Es-Impulsen kommt es zu Intoleranz und Fanatismus (gegen Vergehen, die man selber tun möchte).

Vorgang: Das Ich wehrt den verbotenen Impuls ab (vermeintlich) →keine echte Lösung →Verzerrung der Realitätswahrnehmung (evtl. mit Dämonisierung der Umwelt, die dann wieder Angst macht, was bis zur Neurose, zur Wahnbildung führen kann);
- bei oralem Impuls: Umwelt als überfordernd, verschlingend, bemächtigend erlebt (depressiv),
- bei sexuellem Impuls: kann zum sensitiven Liebes- und Beziehungswahn führen,
- bei aggressivem Impuls: Umwelt als aggressiv erlebt,
- bei intentionalem Wunsch: Umwelt als abweisend erlebt,
- bei der Phobie: Projektion und Verschiebung (Freud: der kleine Junge mit Angst vor Pferden, damit er seinen aggressiven Vater lieben kann);

Preis der Projektion:
- Störung der Realitätswahrnehmung (es wird etwas hinzugedichtet, das gar nicht da ist),
- Dämonisierung der Umwelt (die angstmachend ist),
- Vermeidung der Umwelt (wegen Dämonisierung, Kontaktstörungen aus phobischer Angst, Rückzug auf sich selbst; evtl. bis Ich-Zerfall).

Altruismus (A. Freud 1964: spezieller Fall der Projektion):
- verdrängte Triebwünsche werden auf Ersatzperson projiziert, mit der man sich identifizieren kann (Wünsche werden für andere durchgesetzt, nicht für sich selber);
- für andere oral und aggressiv sein (Kupplerin: insgeheim mitgenießen; für andere einen Mord begehen).

Vorteil:
- sichert das Wohlwollen der anderen,
- gibt lustvolle Triebbefriedigung, die vom Über-Ich nicht gestattet werden würde.

Übertragung: Grundlage ist die Projektion; gute Möglichkeit des Zugangs zu verdrängten Wünschen.

Beispiel: Das Kind erlebt seinen Impuls auf den Keks nicht, sondern meint, seine Puppe möchte einen Keks, befriedigt also seinen Impuls an der Puppe. Es spielt: „Keksessen" mit der Puppe (Projektion des Es-Impulses) oder: „Du darfst jetzt keinen Keks essen" (Projektion des Über-ich-Impulses).

Regression

- Wiederbelebung früherer Entwicklungsstufen vor unlustvollen Impulsen.
- Vorbedingung der Regression ist die Fixierung:
Zurücklassen eines Libidodepots auf einer früheren Entwicklungsstufe (Freud: Das Heer schreitet weiter, läßt aber ein Lager zurück);

Fixierung entsteht:
- eine Entwicklungszeit lange ausgekostet, dann plötzlich abgebrochen;
- wichtige Phase wurde nicht echt durchlebt (es besteht Nachholbedarf);
- Regression oft verbunden mit Verdrängung (besonders auf sexuellem Gebiet, weil Impulse als Perversionen angesehen werden könnten),
- regressive Symptome: Nägelkauen, Bettnässen, Onanie
- Regressionen treten auf
  · bei Übertragung,
  · in Wunschphantasien,
  · in Träumereien;
- regressive Phantasien zerstören die echten:
  · lassen Schwierigkeiten wegfallen,
  · bewirken eine größere Diskrepanz zum Alltag,
  · sind stark libidinös besetzt,
  · werden in Analyse oft spät berichtet, weil man sich schämt/sie sich nicht nehmen lassen will;
- Regressionen besonders häufig bei Zwangsneurotikern (die Triebe selbst regredieren).

Ich-Psychologie

Normale Regression:
- in Kunst und Religion (auf Allmachtsphantasien des Kindes wird zurückgegriffen),
- im Witz: befreiende Regression mit Erhalt des Realitätsbezuges,
- im Urlaub,
- im Schlaf,
- im religiösen Erleben;
→erfaßt nicht das gesamte Ich,
→Ich ist nicht Opfer der Regression,
→Alltag wird nicht entstellt, sondern erhellt.

Beispiel: Das Kind, das den Keks nicht bekommen kann, zieht sich zurück, lutscht am Daumen, spielt mit (entwicklungspsychologisch) längst abgelegten Spielsachen.

Verschiebung

- Der Konflikte auslösende Impuls (meist ein aggressiver) wird im sozialen Rahmen von der Person, der sie eigentlich gilt, auf eine Ersatzperson (die als weniger bedrohlich erscheint) verschoben.
- Nur das Ich kann entscheiden, ob es ein Ersatzobjekt (oder das eigentliche) ist; Es und Über-Ich streben nur nach Impulsbefriedigung,
- (häufig:) Ärger an jemandem auslassen,
- jemandem Schuld zuweisen,
- pathologisch bei der Phobie (z. B. Pferdephobie),
- bei Zwangsneurosen „Verschiebung auf das Kleinste",
- (unbewußte) Schuldgefühle werden auf eine Nebensache abgeleitet,
- (bei schizoiden Persönlichkeiten häufig:) wegen mangelnder Realitätskontrolle und -prüfung.

Beispiel: Das Kind, das keinen Keks bekommen kann, läßt seine Wut an den Spielsachen, an einem Gegenstand, aus.

Reaktionsbildung

- Der Unlust erregende Impuls wird durch sein Gegenteil ersetzt;
- setzt ein besonders strenges Über-Ich voraus,
- verpönte Es-Impulse werden kontrolliert →das Über-Ich antwortet mit einem Strafmotiv →das Ich bildet eine Gegenreaktion aus, um der Strafe zu entgehen (betonte Liebe aus Haß; Übergüte aus Aggressivität; aus Angst Tapferkeit),
- ähnlich der Überkompensation,
- Vorkommen besonders bei Zwangsneurose und Hysterie.

Beispiel: Das Kind, das nicht an den Keks herankommt, mobilisiert den gegenteiligen Impuls und sagt sich „Ach, ich mag gar keine Kekse" und spielt diesen Impuls mit seiner Puppe (Reaktionsbildung und Verschiebung).

Konversion

- Umsetzung eines unerfüllten, für den Patienten unerfüllbaren Es- oder Über-Ich-Wunsches in ein körperliches Symptom. Dieses drückt den Wunsch symbolisch aus. Das Ich schützt sich durch Isolierung;
- wenn das Leibliche das Seelische vertritt anstatt es zu begleiten,
- besonders bei hysterischer Struktur.

Beispiele:
- Arc de cercle: sexuelle Wünsche,
- Ohnmacht mit schlaffer Lähmung: Hingabewunsch, der nicht gelebt werden darf,
- hysterische Blindheit: Abwehr eines Schauwunsches (sexuell, aggressiv, kaptativ),
- spastische Armlähmung: unbewußte Es-Wünsche zuzuschlagen plus Über-Ich-Verbot,
- Globus hystericus: Abwehr von oral-aggressiven Einverleibungswünschen (auch sexuell-symbolisch).
- Durch Verschiebung genitaler Libido auf ein (nicht sexuelles) Organ wird dieses sexualisiert; *Folge:* Über-Ich-Bestrafung.

Rationalisierung

- Das abgewehrte Motiv wird durch eine unbewußte Scheinbegründung, intellektuelle Rechtfertigung ersetzt;
- sehr häufig,
- tritt genetisch später auf,
- es gibt Rationalisierungen aus Liebe und existentiellem Selbstschutz,
- meist eine Lebenslüge mit Realitätsverfremdung,
- Ideologien auf Rationalisierungen aufgebaut,
- für jede Neurosenstruktur gibt es eine Ideologie:
  · Depression: Bescheidenheit, Askese, Demut ideologisiert,
  · Hysterie: Lebendigkeit, Wechsel ideologisiert,
  · Zwang: Sauberkeit, Korrektheit ideologisiert;
    geschieht oft mit Hilfe von Idealbildern, verbunden mit erheblichem narzißtischem Gewinn („Vorurteilskrankheit"),
- neurotische Religiosität:
  · zwanghaftes Vermeiden von bösen Taten, verbunden mit Belohnungsanspruch an Gott,
  · gesundes Fragen tabuisiert: Gefahr für den Glauben,
  · aus verdrängten Wünschen wird eine Tugend gemacht (Antinomie von Demut und Aggression, Bedürfnislosigkeit und Lebensgenuß),
  · Reglementierung der Sexualität;
- neurotische Philosophien:
  · subjektives Empfinden als Wahrheit verkündet,
  · keine Beobachtung der Wirklichkeit,
  · Macht- und Geltungswünsche nicht adäquat erlebt;

- neurotischer Ästhetizismus:
  · Störung vertrauensvoller Beziehung zur Umwelt,
  · Neigung zur Stilisierung,
  · Weltfremdheit,
  · schöngeistige Salonatmosphäre anstatt Behagen;
- wo kein Urvertrauen entstehen kann, kommt es leicht zu Rationalisierungen nihilistischer Art.

Beispiel: Wenn das Kind, das nicht an den Keks herankommt, sich sagt, daß gerade die Kekse in dem Schrank „doch nicht schmecken"; außerdem die Süßigkeiten zwischendurch „zu schlechten Zähnen führen, zu dick machen" u. ä.

Sublimierung

- Es-Impulse werden im Ich in sozial wertvolle Motive umgewandelt;
- der Verschiebung verwandt,
- Impulse und Phasen:
  · *oral:* sprechen,
  · *kaptativ:* hören, lesen, Eindrücke sammeln,
  · *anal:* sammeln, basteln, schreiben, zeichnen, malen,
  · *aggressiv:* Sport,
  · *sexuell:* Caritas, pädagogischer Eros;
- Kulturbegabung des Menschen liegt in der Sublimierungsfähigkeit,
- pathologisch:
  · Weltflucht, Vermeidungs- und Ausweichtendenzen,
  · entsinnlicht, spirituell, „heilig", maniriert,
  · morbid, snobistisch, Fehlen von Vitalität,
  · ausgeprägte Egozentrizität, sekundärer Narzißmus.

Beispiel: Das Kind veredelt seinen Impuls, einen Keks zu essen, indem es sich ein Schlaraffenlandmärchen ausdenkt, indem es besonders intensiv liest oder Musik hört („Ohrenschmaus").

Spaltung

- Teilung des Ich, wobei ein Zustand, der ursprünglich Ausdruck mangelhafter Integration war, nun aktiv zu bestimmten Zwecken herbeigeführt wird;
- aktives Auseinandersetzen konträrer Introjektionen und Identifizierungen,
- Schutz des Ich vor Konflikten durch Dissoziation von miteinander in Konflikt stehenden Introjektionen und Identifizierungen,
- tritt meist im Frühstadium der Ich-Entwicklung (während des 1. Lebensjahres) auf,
- wird später ersetzt durch Verdrängung, Reaktionsbildung, Isolierung, Ungeschehenmachen,

- Verstärkung und pathologische Fixierung von Spaltungsvorgängen, v. a. bei Borderlinepersönlichkeitsstrukturen, auch bei psychosomatisch Kranken,
- Spaltungsprozesse sind Hauptursache der Ich-Schwäche,
- diese Prozesse behindern die Neutralisierung (libidinöser und aggressiver Triebabkömmlinge) und damit die Ich-Entwicklung,
- Ich-Schwäche und Spaltung verstärken sich gegenseitig,
- Manifestation von Spaltungsvorgängen:
  · gegensätzliche Seiten eines Konfliktes wechseln sich ab (Patienten sind über die Widersprüchlichkeit ihres Verhaltens nicht betroffen),
  · mangelhafte Impulskontrolle in bestimmten Bereichen mit episodischen Durchbrüchen primitiver Ich-syntoner Impulse,
  · Aufteilung äußerer Objekte in „total gute" und „total böse",
- Spaltung kommt nicht isoliert, sondern immer in Kombination mit anderen Abwehrmechanismen vor.

Verleugnung

- Objektive Sinneseindrücke werden als unwahr hingestellt, wenn sie traumatisierend wirken würden (von Freud zur Erklärung des Fetischismus und der Psychosen beschrieben);
- archaischer Mechanismus, adäquat für kindliches Abwehrverhalten mit Verleugnung der Wirklichkeit und Ersatz durch Phantasiegebilde, Tagträume, symbolische Handlungen,
- umfaßt breites Spektrum von Abwehrvorgängen unterschiedlichen Funktionsniveaus:
  · auf „höherem Niveau" Beziehungen zur Isolierung, Distanzierung, Verleugnung in Wort und Handlung, in der Phantasie,
  · auf „niederem Niveau" Beziehungen zur Spaltung,
- exakte Realitätsprüfung als Zeichen eines reifen Ich behindert,
- oft verbunden mit rechthaberischem, phantasielosem Verhalten,
- Formen:
  · „wechselseitige" Verleugnung zweier emotional gegensätzlicher und verselbständigter Bewußtseinsbereiche,
  · Ignorieren, Nichtwahrhabenwollen eines bestimmten Bereiches des subjektiven Erlebens oder der wahrgenommenen Außenwelt,
  · höhere, reifere Form der Verleugnung Bestandteil des Mechanismus der Verneinung (Freud 1925),
  · bestimmte Emotionen werden durch entgegengesetzte, gerade dominierende ersetzt: z. B. manische Verleugnung einer Depression.

Psychosoziale Abwehr

- Abwehrkampf wird nach „draußen" auf die zwischenmenschliche Ebene verlagert,
- unbewußte zwischenmenschliche Konstellation, die die intrapsychische Abwehr rechtfertigt, bestätigt, als real erscheinen läßt,

- Wahl eines Partners mit komplementären neurotischen Bedürfnissen,
- Rollenzuweisungen (von Eltern an die Kinder),
- Manipulation, Verführung, Beeinflussung enger Bezugspersonen, auch des Arztes,
- Manifestation einer Neurose erst nach Zusammenbruch eines derart gestalteten psychosozialen Arrangements.

Literatur

Battegay R (1971) Psychoanalytische Neurosenlehre. Huber, Bern
Blanck G, Blanck R (1978a) Angewandte Ich-Psychologie. Klett, Stuttgart
Blanck G, Blanck R (1978b) Ich-Psychologie II. Klett, Stuttgart
Brenner C (1967) Grundzüge der Psychoanalyse. Fischer, Frankfurt
Fenichel O (1974) Psychoanalytische Neurosenlehre. Walter, Olten
Freud A (1964) Das Ich und die Abwehrmechanismen. Kindler, München
Freud A (1965) Normality and pathology in childhood. Int Univ Press, New York
Freud S (1924) Der Realitätsverlust bei Neurose und Psychose. Imago, London, GW Bd 13, S 361-368, Imago London
Freud S (1925) Die Verneinung. GW Bd 14, S 9-15
Gaus E, Köhle K (1986) Psychische Anpassungs- und Abwehrprozesse bei lebensbedrohlich Erkrankten. In: Uexküll T von (Hrsg) Psychosomatische Medizin. Urban & Schwarzenberg, München, S 1127-1156
Hartmann H (1964) Psychoanalyse und Entwicklungspsychologie. Psyche 1: 354-366
Hartmann H (1972) Ich-Psychologie. Klett, Stuttgart
Kernberg OF (1978) Borderline-Störungen und pathologischer Narzißmus. Suhrkamp, Frankfurt
Mentzos S (1980) Neurotische Konfliktverarbeitung - Einführung in die psychoanalytische Neurosenlehre unter Berücksichtigung neuer Perspektiven. Kindler, München
Nunberg H (1959) Neurosenlehre. Huber, Bern
Rohde-Dachser C (1987) Neurosen und Persönlichkeitsstörungen. In: Kisker KP, Freyberger H, Rose HK, Wulff E (Hrsg) Psychiatrie, Psychosomatik, Psychotherapie. Thieme, Stuttgart
Thomä H, Kächele H (1986) Lehrbuch der psychoanalytischen Therapie. Springer, Berlin Heidelberg New York Tokyo

Psychologie des Selbst

Allgemeines

1. Weg der Triebabfuhr beim Erwachsenen:
- vokal,
- genital,
- motorisch.

Eine optimale Entspannung tritt ein, wenn die Triebabfuhr im Dienste des Ich steht (sonst Mißbrauch, Schädigung).

2. Präverbaler Weg der Triebabfuhr:
- Psychosomatisch (Körpersprache, Organsprache),
- Somatisierung als Regression (Schur 1955):
  - stille physiologische Abfuhr ins Innere (normal beim Neugeborenen), Triebenergie undifferenziert, Triebe noch ent-neutralisiert;
  - das Kind lebt zunächst ganz im Körper, bevor Psyche und Soma sich langsam differenzieren;
  - keine vollständige Trennung von Psyche und Körper (Körperbild als Selbstrepräsentanz aufgebaut).

3. Allgemein:
- Das Ich benutzt die verbalen statt die somatischen Bahnen zur Abfuhr.
- Das Ich beherrscht die Sprachorgane.
- Das Ich benutzt alle Körperteile als Hilfsmittel zur Verbalisation (auch deshalb Objektbeziehungen wichtig!).
- Sprachentwicklung als wesentlicher Motor zur Differenzierung von Psyche und Soma.
- Psychosomatische Phänomene = Regression auf eine präverbale Stufe (keine Trennung von Soma und Psyche, Triebabfuhr nach innen statt nach außen).

Narzißmus

Definition: Konzentration seelischen Interesses auf das Selbst; Aufrechterhaltung eines affektiven Gleichgewichts von innerer Sicherheit – Wohlbehagen – Selbstsicherheit.

Entwicklung des narzißtischen Systems

1. Harmonischer Primärzustand:
- intrauterine Einheit von Mutter und Kind,
- Harmonie, Geborgenheit, Sicherheit,
- kein Unterschied zwischen innen/außen, Ich/Nicht-Ich.

2. Trennung von Selbst und Objekt (Urverunsicherung):
- zunehmende Wahrnehmungsfähigkeit,
- wachsende Bedürfnisse,
- unvermeidliche Frustrationen; diese als
- Anreiz zur Ich-Entwicklung: es entstehen innere Bilder
  - der eigenen Person = Selbstrepräsentanzen,
  - der Objekte   = Objektrepräsentanzen;
- Verunsicherung löst Angst und Ärger aus, auch Hilflosigkeit, Ohnmacht („Vertreibung aus dem Paradies").

3. Kompensationsmechanismen:
- Regression auf den Primärzustand mit Verschmelzungsphantasien,
- Verleugnung (der eigenen Mängel) und Idealisierung (also Verkehrung ins Gegenteil),
- Angleichung an die Realität,
- Verinnerlichung (Internalisierung); Verluste werden dadurch aufgehoben; Bildung eines Ideal-Selbst (mit Pufferfunktion).

4. Funktion des gesunden narzißtischen Systems:
- Ich als regulierende Instanz vermittelt, sorgt für gesundes Selbstwertgefühl.

Schema des Narzißmus

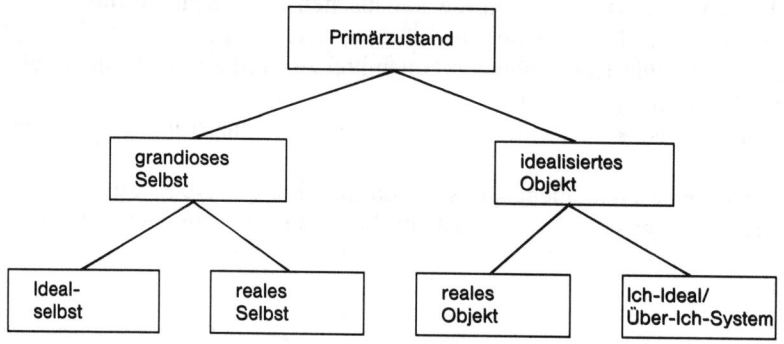

Narzißmus 29

Psychosexuelle Entwicklung und Selbst

Entwicklungsstufen	Grandioses Selbst	Idealisiertes Objekt
– oral	An sich selbst Genüge haben; alles schon haben, unbegrenzte Sättigung, fragloses Akzeptiertsein	Unerschöpfliche Quelle des Nährens, Gebens, Wärmens, Sorgens, Sicherheitgebens, stetige Anwesenheit
– oral-sadistisch	Unbegrenzte Verfügungsgewalt, absolute Vernichtungsmacht	Fragloser Garant für Schutz, Geborgenheit, Sicherheit
– anal	Grandioser Wert, Einzigartigkeit, unerhörte Größe	Grandioser Wert, Einzigartigkeit, unerhörte Größe
– anal-sadistisch	Unerhörte Macht, Allmacht, Unbezwingbarkeit	Unerhörte Macht, Allmacht, Unbezwingbarkeit
– phallisch	Unerreichbare Überlegenheit, Vollkommenheit	Unerreichbare Überlegenheit, Vollkommenheit
– phallisch-sadistisch	Unbesiegbare Überlegenheit, Siegeszuversicht, Eroberungsmacht bzw. Verführungsmacht	Siegreicher Held bzw. schönste und erfolgreichste Frau

Entwicklungsgang nach Blanck und Blanck (1978/80) (s. S. 29–32)

Psychosexuelle Reifung	Triebzähmende Prozesse	Objektbeziehungen	Adaptive Funktion	Angstniveau	Abwehrfunktion	Identitätsbildung	Internalisierungsprozesse
Phallische Phase						Versagen in der Annäherungs-Subphase	Über-Ich-Entwicklung unvollständig
	Opposition zur Analität						
		Spaltung zwischen gutem und schlechtem Objekt	Realitätsprüfung unklar	Furcht vor dem Objektverlust	Mittlere bis schwache Reichweite der Abwehr		
Genitalphase	Triebe gezähmt	Fähigkeit, konstante Beziehungen mit einem Objekt zu unterhalten. Ödipus aufgelöst.	Anpassung gesichert	Angstreaktion auf Über-Ich	Hohes Niveau, hauptsächlich Verdrängung	Identität gesichert	Über-Ich fast unterscheidbar

Psychologie des Selbst

Psychosexuelle Reifung	Triebzähmende Prozesse	Objektbeziehungen		Adaptive funktion		Angstniveau
Genital	Ambivalenz aufgelöst		Postödipal	Ineinanderpassen		Furcht vor Über-Ich
	Neutralisierte Libido dient dem Narzißmus	und auch der Fähigkeit, konstante Beziehungen zum Objekt aufrechtzuerhalten	Objektkonstanz	Synthetische und integrative Funktionen	Sekundärprozeß	
				Abstraktes Denken		
Phallisch		Besetzung der Objektrepräsentanzen mit Werten				Angst vor Kastration
	Neutralisierte Aggression dient der Identitätsbildung	Beginnende Ausstattung der Objektrepräsentanzen mit Werten		Sprache Objektverständnis		Angst vor Verlust der Liebe des Objekts
Anal	Neutralisierung des Aggressionstriebs dient der Aufrichtung eines Abwehrmechanismus	Diakritische Perzeption bringt Gewahrwerden der bedürfnisbefriedigenden Funktion des Objekts	Semantische Kommunikation, ein neues Niveau der Objektbeziehungen 8-Monats-Angst	Lokomotion		Signalangst erreicht
	Libido und Aggression verschmelzen		Fusion von „guten" und „schlechten" Objektrepräsentanzen	Realitätsprüfung		Furcht vor Verlust des Objekts
				Intentionalität		
	Triebe differenzieren sich in Libido und Aggression	Gewahrwerden der Bedürfnisbefriedigung	Reaktion des Lächelns, Anfang der psychischen Beziehungen	Motilität Perzeption	Primärprozeß	
Oral	Neutralisierung beginnt	Koenästhetische Rezeptivität	Undifferenziertes Stadium, biologische Bedürfnisbefriedigung, objektloses Stadium	Aufschub Gedächtnisspuren		Angst vor Vernichtung

– u n d i f f e r e n z i e r t e

Geburt		Undifferenzierte Triebe und Apparate der primären Autonomie einschl. Motilität, Gedächtnis, Intentionalität,

▼ Es

▼ Ich

Narzißmus

Abwehrfunktion	Identitätsbildung	Internalisierungsprozesse		
Sekundäre Autonomie. Abwehr verändert Funktion und wird adaptiv	Konstante Besetzung der differenzierten Selbst- und Objektrepräsentanzen	Über-Ich wird strukturiert		
Verdrängung	Zunehmende Internalisierung durch Ich- und Über-Ich-Identifizierungen führt zur Identität	Auflösung des Ödipus durch Identifizierung mit gleichgeschlechtlichem Elternteil	Ich-Ideal	
Regression				
Intellektualisierung	Trennung von Individuation komplett, Objektkonstanz erreicht	Identifizierung mit phallischer Leistungsfähigkeit		
Isolierung	Geschlechtsidentität	Reinlichkeitserziehung leitet Identifizierung mit Stärke und Reinlichkeit ein		
Reaktionsbildung	Annäherungssubphase			
Ungeschehenmachen	Übungssubphase	*Trennung und Individuation*	Allmähliche Enttäuschung mit omnipotenten Objekten	
Identifizierung Verschiebung Umkehrung Wendung gegen sich selbst	Differenzierungs-Subphase	Selektive Identifizierung beginnt	*Idealisierte Objekte*	*Grandioses Selbst*
Projektion	Zusammengeflossene Selbst- und Objektrepräsentanzen	*Symbiose* Imitation		
Introjektion				
Verleugnung				
	Autistisches Stadium	Primärnarzißmus		

Matrix -

Intelligenz, Perzeption, Denken, und anderes

▼

Über-Ich

Vom Autismus – über Symbiose/Loslösung und Individuation/Differenzierung/Übungsphase/ Wiederannäherung – bis zur Objektkonstanz

- Leben im Körper .... ▶ .... Leben im Geist (Struktur)
- Interpersonelle Interaktion .... ▶ ..... Inter- und intrasystemische Operationen
- Primärprozeßhaftes Denken .... ▶ .... Sekundärprozeßhaftes Denken
- Undifferenziertes Selbst/Objekt .... ▶ Differenziertes Selbst mit Geschlechtsidentität
- Unmittelbare Impulsabfuhr .... ▶ .... Das Ich als Vermittler
- Angst vor Vernichtung ... Objektverlust .... Liebes- ▶ ... vor Kastration .... Über-Ich verlust ....
- Organismisches Unbehagen .... Besänftigung von ▶ .... Signalangst außen .... Selbstbesänftigung
- Nichtorganisierte Abwehrfähigkeit .... ▶ .... Abwehr- und Widerstandsfähigkeit
- Einfache Affekte „für" und „gegen" . Affektdifferenzierung ▶ .... vollständiges affektives Repertoire
- Ambitendenz .... ▶ .... Ambivalenz
- Gespaltenes Selbst und Objektbilder .... ▶ ... (Verschmelzung) .... Ganzes Selbst und Objektrepräsentanzen
- Bedürfnisbefriedigung .... Objektliebe ... ▶ .... Selbst- und Objektkonstanz
- Suche nach dem primären Objekt (Erwiderung [von ▶ .... Übertragungsfähigkeit Gefühlen]) ....
- Dyadische Beziehung .... erweiterte Objektwelt ...... ▶ .... Ödipale Objektbeziehungen

Selbst-Objekt-Differenzierung

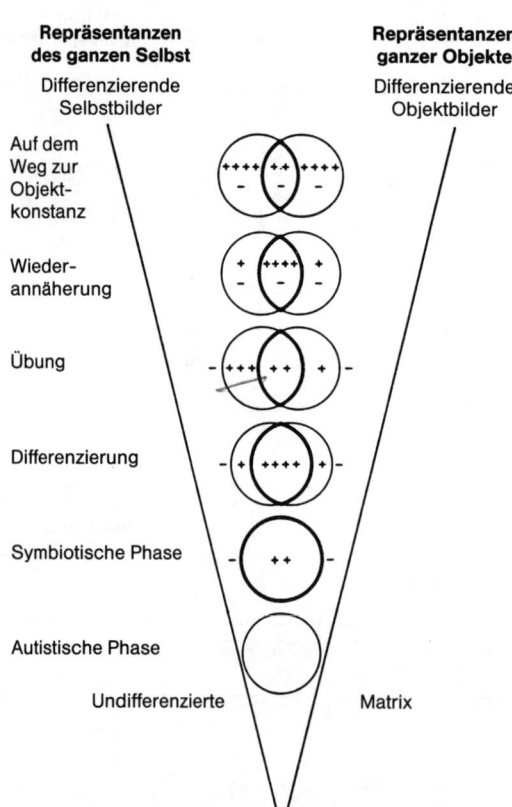

Objektkonstanz: Modus des Erlebens von bedeutsamen Bezugspersonen des Kindes.
Konstitutiv wirken folgende Bildungsprozesse:
- Entwicklung der Fähigkeit zur Bildung einer symbolischen Repräsentation (Objektrepräsentanz) einer engen Bezugsperson (Mutter);
- Fähigkeit zur Erinnerung an diese Repräsentanz bei Abwesenheit (der Mutter), um Sicherheit auch bei Abwesenheit zu entwickeln;
- Erleben der mütterlichen Objektrepräsentanz mit neutralisierten und aggressiven Emotionen (um nicht in symbiotische Undifferenziertheit von Selbst- und Objektrepräsentanzen zu regredieren);
- Vereinheitlichung der „guten" und „bösen" Teilobjektrepräsentanzen, um entwicklungsadäquate Aufspaltung der mütterlichen Objektimago aufgeben zu können.

Ausbildung einer männlichen Geschlechtsidentität:
- „biologische Kraft",
- Bewußtsein über anatomische und physiologische Gegebenheiten
- Geschlechtsrollenzuweisung von den Eltern und anderen Bezugspersonen,
- Entidentifizierung von der Mutter und neue Identifikation mit dem Vater.

Bedeutung des Vaters in den ersten 3 Lebensjahren:
- Beginn der spezifischen Bindung an den Vater bereits in der symbiotischen Phase; keine Fremdenangst zu ihm;
- Hinwendung zum Vater in der Übungssubphase (Mahler 1972); Mutter gilt als „Heimatbasis";
- Vater als „Landepunkt" einer sich vergrößernden Welt; Vater als anderes, aber auch faszinierendes Objekt;
- Mädchen: nehmen früher Beziehung zum Vater auf, Jungen: nähern sich weniger gefühlshaft als exploratorisch;
- Am Ende der Übungssubphase wird der Vater mehr als eigene Person, die Mutter mehr im Sinne des symbiotischen Erlebens (introjektiv und projektiv verzerrte Mutterimago) erfahren;
- früheste Objektrepräsentanz des Vaters manifestiert sich etwas später als die Mutterrepräsentanz;
- Befriedigende Beziehung zum Vater wichtig für die Lösung der Ambivalenz gegenüber der Mutter in der Wiederannäherungsphase
- Befreiung von der Abhängigkeit von der Mutter;
- bei unterschiedlicher Beziehung zum Vater und zur Mutter bessere Trennung zwischen Selbst- und Objekt (Mutter)repräsentanzen und damit Aufbau von Selbst- und Objektkonstanz;
- Übergang aus der dualen Mutter-Kind- in die trianguläre Mutter-Vater-Kind-Beziehung;
- wichtige Voraussetzung: harmonische Mutter-Vater-Beziehung;
- Identifikation des Jungen mit dem Vater wird als Abgrenzung von der Mutter erlebt: Ansätze zu reflexivem Selbstbewußtsein.

Stufen der pathologischen narzißtischen Formation. (Nach Mertens 1981)

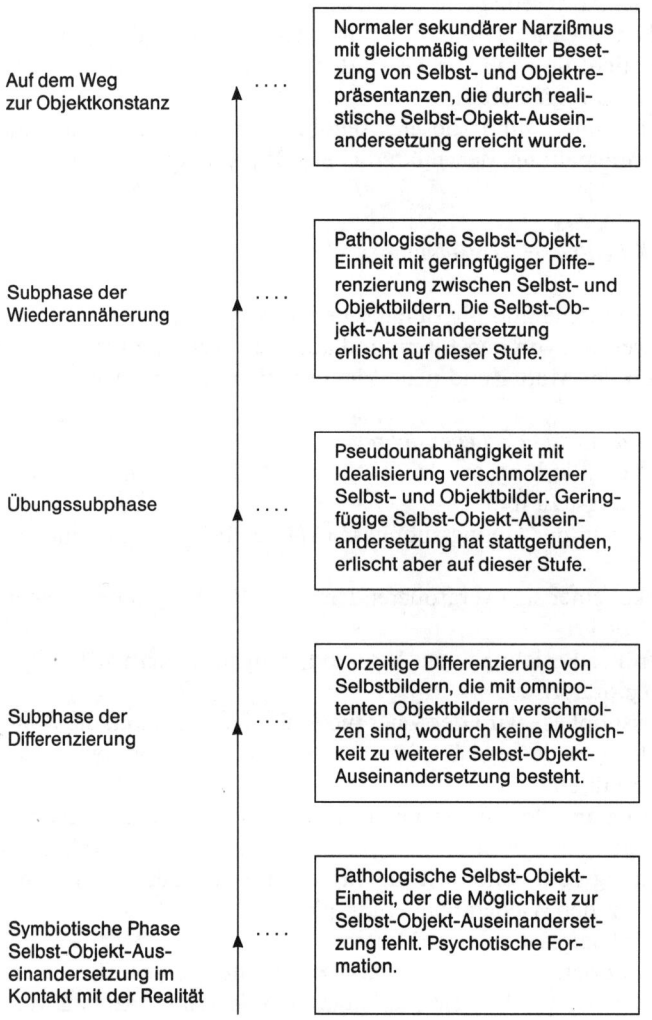

Pathologie des Narzißmus

Zentrales Symptom: labiles Selbst(wert)gefühl;
Frage nach dem Umgang mit Kränkungen:
- reife Reaktion auf eine Kränkung hin:
  · Realitätsprüfung (trifft der Vorwurf zu?),
  · Stellenwert der Kränkung prüfen (ist es wirklich so schlimm?),
  · Möglichkeit zur Korrektur offen lassen,
  · Möglichkeit, sich angemessen zu wehren;
- unreife Reaktion auf eine Kränkung hin:
Ursache: Kränkung sehr schwer oder Kränkbarkeit sehr groß (labiles Selbstgefühl);
Kompensationsversuche:
  · Verleugnung und Idealisierung,
  · Repräsentanzen des grandiosen Selbst und der idealisierten Objekte kommen zum Tragen (Selbst und Objekte aufgebläht),
  · hohes Anspruchsniveau, realitätsfernes Ich-Ideal, ständiges Oszillieren zwischen Größenphantasien und Minderwertigkeitsgefühlen,
  · Regression auf den harmonischen Primärzustand.

Zur Diagnostik narzißtischer Störungen

Zepf (1985) unterscheidet 5 Verhaltensweisen psychosomatisch Kranker, an denen die Pathologie abzulesen ist.
1. *Charakter der Wortgebilde:*
   entemotionalisierte, emotionslose Sprache,
   undifferenzierte affektive Gefühlsäußerungen und zwanghafte Strukturanteile;
2. *Selbstwertgefühl:*
   kompensatorisch übersteigert oder vermindert;
3. *Aggressionsverhalten:*
   gestörter Umgang mit Aggressionen, auch Gehemmtheiten, „entneutralisierte" Aggressivität;
4. *Verhaltensnormalität:*
   normative Verhaltenserwartungen werden erfüllt,
   Kritikunfähigkeit,
   auffällig kooperatives Verhalten,
   kompromißloses Unterwerfen in Streitfällen;
5. *Objektbeziehungen:*
   Anlehnungstyp – anaklitisch,
   narzißtisch bzw. ambivalent.

Symptome des krankhaften Narzißmus:
Grandiose wie depressive Individuen müssen zwanghaft die Erwartungen der introjizierten Mütter erfüllen:
- der Grandiose erlebt sich als gelungenes Kind,
- der Depressive erlebt sich als Versager.

Gemeinsamkeiten:
- falsches Selbst (Verlust des eigentlichen, möglichen Selbst),
- Brüchigkeit der Selbstachtung (keine Sicherheit über das eigene Fühlen und Wollen),
- Perfektionismus als Ausdruck des hohen Ich-Ideals,
- Verleugnung der verachteten Gefühle,
- Überwiegen narzißtischer Objektbeziehungen:
  Anlehnungstyp: der andere kommt eigenen Bedürfnissen entgegen,
  narzißtischer Typ: der andere entspricht dem eigenen inneren Bild,
- große Angst vor Liebesverlust (deshalb große Anpassungsbereitschaft),
- starke, aber abgespaltene, deshalb nicht neutralisierte Aggressivität,
- Neid (auf die Gesunden),
- Anfälligkeit für Kränkungen,
- Anfälligkeit für Scham- und Schuldgefühle,
- Ruhelosigkeit.

Präödipale Reifungsstörung (psychodynamische Anzeichen):
- Depressivität nach Objektverlust,
- Hilflosigkeit/asthenische Entmutigung,
- Hoffnungslosigkeit/apathisch-düsteres Resigniertsein,
- narzißtische Störung,
- oral-regressive Züge (manifeste Abhängigkeit oder Pseudounabhängigkeit),
- Aggressionsabwehr (Verhaltensnormalität),
- introspektive Einschränkung.

Übertragung bei narzißtischen Störungen. (Nach Mertens 1981)

Selbstobjektübertragungen	Gegenübertragungsgefühle
1. Spiegelübertragung	
a) archaische Verschmelzung (Patient erlebt Analytiker als Teil seiner selbst).	Je nach narzißtischer Verletzbarkeit des Analytikers: Schwierigkeit, dem Patienten in seinem vereinnahmendem Monologisieren zuzuhören; Langeweile, Schläfrigkeit; Verlieren des empathischen Kontakts; Ironie; Ansprechen einer kränkenden lebensgeschichtlichen Begebenheit, um sich abzugrenzen.
b) Alter-Ego- bzw. Zwillingsübertragung (Analytiker soll die gleichen Meinungen, Werte, Überzeugungen teilen wie der Analysand).	Bestreben, seine eigene Meinung zu betonen, seine eigenen Gefühle für sich eigens zu erleben.
c) Spiegelübertragung im eigentlichen Sinn (Analytiker, der jetzt schon stärker – als bei a) – als Person in seinem eigenen Recht erfahren wird, soll den Patienten bewundern, den gesunden Exhibitionismus bestätigen und anerkennen.	Leichte Verärgerung über die narzißtische Anspruchlichkeit des Patienten.

Selbstobjektübertragungen	Gegenübertragungsgefühle
2. Idealisierende Übertragung a) Analytiker wird als jemand gebraucht, der ruhig, stark und zuverlässig ist und aus diesem Grund auch idealisiert wird.	Bedürfnis, den Patienten darauf aufmerksam zu machen, daß der Analytiker nicht so stark, vollkommen, grandios ist, wie er vom Patienten gesehen wird, anhand von realitätsorientierten Hinweisen oder Selbstabwertung.
b) Bei Abwehr gegen die idealisierende Übertragung: Analytiker wird arrogant abgewertet und kritisiert.	Gefühle des Verletzt- und Gekränktseins.

Literatur

Abelin EL (1975) Some further observations and comments on the earliest role of the father. Int J Psychoanal 56: 293-302
Balint M (1960a) Primärer Narzißmus und primäre Liebe. Jahrb Psychoanal 1: 3-34
Balint M (1960b) Angstlust und Regression. Klett, Stuttgart
Balint M (1970) Therapeutische Aspekte der Regression. Die Theorie der Grundstörung. Klett, Stuttgart
Blanck G, Blanck R (1978) Angewandte Ich-Psychologie. Klett, Stuttgart
Blanck G, Blanck R (1980) Ich-Psychologie II. Klett, Stuttgart
Edgcumbe R, Burgner M (1972) Some problems in the conceptualisation of early object relationship, part I: The concepts of need satisfaction and need-satisfying relationships. Psychoanal Study Child 27: 283-314
Edgcumbe R, Burgner M (1975) The phallic-narcissistic phase. A differentiation between praeoedipal and oedipal aspects of phallic development. Psychoanal Study Child 30: 171-189
Freud S (1914/1952) Zur Einführung des Narzißmus. Imago, London, GW Bd 10
Greenson R (1973) Technik und Praxis der Psychoanalyse. Klett, Stuttgart
Henseler H (1974) Narzißtische Krisen. Zur Psychodynamik des Selbstmords. Rowohlt, Hamburg
Herrmann AP (1986) Das Vaterbild psychosomatisch Kranker. Springer, Berlin Heidelberg New York Tokyo
Jacobson E (1974) Das Selbst und die Welt der Objekte. Suhrkamp, Frankfurt
Kernberg OF (1978) Borderline-Störungen und pathologischer Narzißmus. Suhrkamp, Frankfurt
Kernberg OF (1981) Objektbeziehungen und Praxis der Psychoanalyse. Klett, Stuttgart
Kohut H (1973) Narzißmus. Suhrkamp, Frankfurt
Kohut H (1979) Die Heilung des Selbst. Suhrkamp, Frankfurt
Mahler MS (1972) Symbiose und Individuation. Klett, Stuttgart
Mahler MS (1978) Die psychische Geburt des Menschen. Fischer, Frankfurt
Mertens W (1981) Psychoanalyse. Kohlhammer, Stuttgart
Pulver SE (1972) Narzißmus: Begriff und metapsychologische Konzeption. Psyche (Stuttg) 26: 34-55
Schur M (1955) Comments on the metapsychology of somatization. Psychoanal Study Child 10: 119-164
Spitz R (1957) Die Entstehung der ersten Objektbeziehungen. Klett, Stuttgart
Spitz R (1972) Vom Säugling zum Kleinkind. Klett, Stuttgart
Zepf S (1985) Narzißmus, Trieb und die Produktion von Subjektivität. Springer, Berlin Heidelberg New York Tokyo

Individuation/Narzißmus nach verschiedenen Autoren

S. Freud

(Zu Freuds Narzißmuskonzept s. auch Pulver 1972)
- Triebaspekt in Zusammenhang mit Autoerotismus und Perversion,
- spezifische Modi der Objektwahl,
- Problem des Selbstwertgefühls,
- spezifische Entwicklungsstadien,
- der Homosexuelle liebt sein eigenes Ideal (1910),
- Vertauschung von Objekt und Subjekt,
- Narzißmus angesiedelt zwischen Autoerotismus und Objektliebe (1905),
- Objekt fällt mit eigenem Ich zusammen, Primat der Genitalzone noch nicht erreicht (1913);
- Zeugnis für Narzißmus: Allmacht der Gedanken bei Primitiven (1912),
- Narzißmus als libidinöse Ergänzung zum Egoismus des Erhaltungstriebes (1914);
- primärer Narzißmus = ursprüngliche Libidobesetzung des Ich (1914),
- sekundärer Narzißmus = Objektbesetzungen werden einbezogen;
- Objektwahl nach dem Anlehnungstyp: das Individuum wählt sein späteres Objekt nach dem Vorbild des ersten Sexualobjekts, der versorgenden Mutter,
- narzißtische Objektwahl: das spätere Liebesobjekt wird nach dem Vorbild der eigenen Person gewählt: man liebt,
  · was man selbst ist,
  · was man selbst war,
  · was man selbst sein möchte,
  · die Person, die ein Teil des eigenen Selbst war (1914);
- bei Verwandlung von Ich-Libido in Objektlibido gelangt das Objekt in den Besitz der gesamten Selbstliebe des Ich (1921),
- Ziel und Befriedigung bei der narzißtischen Objektwahl ist das Geliebtwerden (1914),
- 3 Quellen des Selbstwertgefühls (1914): je 1 Anteil
  · ist primär (Rest des kindlichen Narzißmus),
  · stammt aus der Erfahrung im Sinne einer bestätigten Allmacht (Erfahrung des Ich-Ideals),
  · stammt aus der Befriedigung der Objektlibido;
- vom (intrauterinen) selbstgenügsamen Narzißmus zu Beginn der Objektfindung (1921),
- Bestimmung des primären Narzißmus libido-, d.h. triebtheoretisch,
- primärer Narzißmus als Erscheinungsform der Triebentwicklung (1917).

Literatur

Freud S (1905) Drei Abhandlungen zur Sexualtheorie. Imago, London, GW Bd 5, S 27–145
Freud S (1910a) Eine Kindheitserinnerung des Leonardo da Vinci. GW Bd 8, S 127–211
Freud S (1910b) Beiträge zur Psychologie des Liebeslebens. GW Bd 8, S 65–91
Freud S (1912) Totem und Tabu. GW Bd 9

Freud S (1913) Die Disposition zur Zwangsneurose. GW Bd 8, S 441-452
Freud S (1914) Zur Einführung des Narzißmus. GW Bd 10, S 137-170
Freud S (1917) Vorlesungen zur Einführung in die Psychoanalyse. GW Bd 11
Freud S (1921) Massenpsychologie und Ich-Analyse. GW Bd 13, S 71-161
Pulver SE (1972) Narzißmus: Begriff und metapsychologische Konzeption. Psyche (Stuttg) 26: 34-55

H. Hartmann

Hartmann entwickelte die Ich-Psychologie:
- Die Anlage des Ich ist biologisch bestimmt, also ein Entwicklungsprodukt zum Zweck der instrumentalen Anpassung;
- Steuerungs- und Kontrollfähigkeit des Ich tritt an die Stelle instinktiver Regulierung der Triebe;
- das Ich rückt an die Stelle des verlorengegangenen Instinktes und wird damit zum natürlichen Anpassungsapparat (Triebe sind der Umwelt entfremdet und wirken der Anpassung entgegen);
- These der primären (und sekundären) Autonomie des Ich und einer konfliktfreien Sphäre.
  Bei Freud:
  · Ich entwickelt sich aus dem Es;
  · Ich bleibt abhängig von den Trieben;
  · Ich bleibt abhängig von der Umwandlung der Triebziele.
- Genetisch:
  · Ich als biologische Anlage;
  · Ich-Organisation als Instrument der Anpassung (an die Umwelt);
- Hauptquelle der Energieversorgung des Systems „Ich": die Neutralisierung des Destruktionstriebes (Entaggressivierung): nichtneutralisierte Form von Libido und Aggression im Zuge der Entwicklung übergeführt in neutralisierte durch Aufbau von Ich-Strukturen;
- Leitgedanke: unkontrollierte, nichtneutralisierte Triebenergie bedroht das Ich; Folge: das Kind ist in prekärer Lage, weil das Ich-System noch nicht entwickelt ist;
- Vorstellung einer Einheit von Trieb und Ich entfällt in der Ich-Psychologie ebenso wie die einer qualitativen Eigenbedeutung und Eigenentwicklung der Triebe;
- das Ich-System ist unabhängig vom Lustprinzip (das Realitätsprinzip kann nicht aus dem Lustprinzip allein hervorgegangen sein; Reduzierung des Todestriebes auf den Destruktionstrieb);
- Begriff der Ich-Stärke beruht auf
  · dem Organisationsgrad und der damit verbundenen
  · Steuerungsfunktion des Ich (zum Zweck der Triebbeherrschung);
- Begriff des Selbst von Hartmann eingeführt; er beinhaltet die Abgrenzung und Trennung in kognitiver und emotionaler Hinsicht;
- Unterscheidung zwischen
  · funktionalem „System Ich" und
  · „Ich als Person";

- Ich-psychologisches Verständnis von Narzißmus:
  Narzißmus ist libidinöse Besetzung des Selbst (nicht des Ich);
- beim Neugeborenen gibt es kein Selbst (entwickelt sich erst langsam im Organisationsprozeß des Ich), konstituiert sich, wenn das Ich fähig wird, zwischen eigenem Selbst und Objekten zu unterscheiden;
- Konstitution des Selbst als Ergebnis von kognitiven Ich-Funktionen (Wahrnehmung, Erinnerung, Denken);
- Unterscheidungsfähigkeit von Selbst und Objekt in Zusammenhang mit der Funktionsfähigkeit des Ich gesehen (nicht so bei Freud);
- Begriff des Selbst als Funktion des Ich: Fähigkeit des Ich, eine abgegrenzte Vorstellung von sich selbst und den Objekten haben (gelingt das nicht: →Ich-strukturelle Störung);
- Kern der Ich-psychologischen Betrachtungsweise:
  · realistische, kognitive Einschätzung der Objekte;
  · realistische Einschätzung des Selbst.

Literatur

Hartmann H (1927) Grundlagen der Psychoanalyse. Thieme, Leipzig
Hartmann H (1950a) Psychoanalysis and developmental Psychology. The Psychoanalytic Study of the Child 5: 7-17
Hartmann H (1950b) Comments on the Psychoanalytic Theory of the Ego. The Psychoanalytic Study of the Child 5: 74-96
Hartmann H (1972) Ich-Psychologie. Klett, Stuttgart
Knapp G (1988) Narzißmus und Primärbeziehung. Psychoanalytische Grundlagen für ein neues Verständnis von Kindheit. Im Druck.

M. Balint

Narzißmuskonzept:
- ursprünglich harmonisch einander durchdringende Verschränkung von Mutter und Kind,
- Natur der Objektbeziehung – vollkommen passiv:
  Objekt (Mutter) wird gebraucht ohne kleinste Gegenleistung, dann
- Übergang zu einer aktiven Objektliebe;
- wird primäre Objektliebe nicht adäquat befriedigt, dann
- *Grundstörung* (überbetonter Narzißmus; Autoerotismus als Trostmechanismus), Ausprägungen:
  · Oknophilie (Anklammerung an Objekt, als narzißtische Stütze bei defizitär entwickeltem Ich),
  · Philobatie (Scheinautonomie mit Verleugnung der Abhängigkeit vom primären Objekt; Fluchttendenz aufgrund schmerzhafter Enttäuschung).
- Jede Form von Narzißmus ist ein Sekundärphänomen;
- narzißtische Phänomene sind Erscheinungsformen der Entwicklung der primären Objektliebe (und nicht Triebwünsche, die an erogene Zonen gebunden sind);

- letztes Ziel aller Triebe (oral, anal, genital) ist die Verschmelzung mit dem Objekt, die (Wieder)herstellung der Ich-Objekt-Einheit;
- der Orgasmus kommt dem Ziel am nächsten („unio mystica").
- Verschränkung von Kind und Objekt (Mutter) in einer
  · passiven,
  · primitiven,
  · primären,
  · archaischen Objektliebe;
- primäre Liebe,
- Ohnmacht und Abhängigkeit des Kindes vom Objekt,
- kein Konzept eines primären Narzißmus als Zustand subjektiver Objektlosigkeit,
- Omnipotenzgefühle sind Sekundärbildungen (als Versuch, sich gegen ein vernichtendes Gefühl der Ohnmacht zu verteidigen),
- *Symptome* narzißtischer Personen:
  · erhöhte Objektabhängigkeit, gegen die Abwehr mobilisiert wird,
  · erhöhte Empfindlichkeit und Sensibilität,
  · verstärkte Verletzbarkeit,
- tiefe Sehnsucht nach grenzenloser Harmonie mit dem Objekt.

Literatur

Balint M (1960a) Primärer Narzißmus und primäre Liebe. Jahrb Psychoanal 1: 3-34
Balint M (1960b) Angstlust und Regression. Klett, Stuttgart
Balint M (1966) Die Urformen der Liebe und die Technik der Psychoanalyse. Klett, Stuttgart
Balint M (1970) Therapeutische Aspekte der Regression. Die Theorie der Grundstörung. Klett, Stuttgart

R. Spitz

1. *Organisator* (bis ca. 6. Lebensmonat): Vorstufe des Objektes,
2. *Organisator* (bis ca. 12. Lebensmonat): Bildung des Objektes der Libido,
3. Organisator (bis ca. 24. Lebensmonat): Ursprung und Beginn der menschlichen Kommunikation.

Organisator (Begriff aus der Embryologie) bedeutet hier:
- Konvergenz mehrerer Linien der biologischen Entwicklung an einem bestimmten Punkt im Organismus des Embryos; dadurch Auftreten von Wirkkräften und Regulierungselementen („Organisatoren"); beeinflussen weitere Entwicklung;
- Schrittmacher für bestimmte Entwicklung;
- Zentrum, von dem weiterer Einfluß ausgeht;
- (im Psychischen) Umstrukturierung des psychischen Systems auf der Ebene höherer Komplexität.

Psychosomatische Störung aufgrund neurotischen Verhaltens – erklärt über eine gestörte Mutter-Kind-Beziehung.

1. Organisator (Vorstufe des Objekts)
- „Dreimonatslächeln" als Objektvorläufer (Maske von vorn, Bewegung);
- von der Rezeption von Innenreizen zur Wahrnehmung von Außenreizen;
- Realitätsprinzip hat angefangen zu wirken;
- Gedächtnisspuren sind hinterlegt;
- Teilung von bewußt/vorbewußt/unbewußt (topischer Aspekt);
- Verschieben einer Erinnerungsspur auf eine andere;
- Auftauchen eines rudimentären Ich;
- Strukturierung von Soma und Psyche („Somatopsyche");
- Zunehmende Koordinierung und Zielgerichtetheit der Muskelaktivität;
- rudimentäres Ich (Körper-Ich nach Freud);
- Beginn der sozialen Beziehungen;
- Bedürfnisbefriedigung wird mit sozialem Lächeln beantwortet, bei Frustration (Entfernung des Partners): Weinen.

2. Organisator (Bildung des Objekts der Libido)
- „Achtmonatsangst":
  · Kind unterscheidet zwischen Freund und Fremdem (Vergleich von Gedächtnisspuren),
  · Gesicht der Mutter einzigartig,
  · Beginn der Entwicklung von Objektbeziehungen,
  · Funktion des Urteilens und Entscheidens erworben,
  · größere Unabhängigkeit von der Mutter möglich durch: Nachahmung und Identifizierung, Erwerb von Handlungsabläufen;
- „Objektbildung" möglich durch:
  · (im Somatischen) Myelinisation der Nervenbahnen, Muskelapparat besser ausgestattet, Regelung von Körperhaltung und Gleichgewicht;
  · (im Psychischen) Ich-System ist funktionierende Einheit, Objektbeziehungen beginnen, fortschreitende Differenzierung von Aggression und Libido („gutes" und „schlechtes" Objekt nach Melanie Klein),
  Konstituierung des Objektes,
  Auftreten von Abwehrmechanismen;
  · (Denkapparat) wachsende Zahl von Erinnerungsspuren,
  gerichtete Handlungsabfolgen.

3. Organisator (Ursprung und Beginn der menschlichen Kommunikation)
- „Verneinungsgeste": Ursprung der verbalen Kommunikation, Kommunikation auf Distanz eingeführt, Handeln durch das Wort ersetzt;
- Konflikt zwischen Initiative des Kindes und Befürchtungen der Mutter;
- mütterliches Eingreifen von Wort und Gebärde geprägt;
- selbständige Lokomotion mit Gefahren verbunden;
- Verständnis für Verbote wächst;
- erste Identifizierungen;
- beginnende Loslösung.

Ätiologische Klassifizierung von psychogenen Erkrankungen im Säuglingsalter entsprechend den Einstellungen der Mütter

	Ätiologischer Faktor, Einstellung der Mutter	Krankheit des Säuglings
Psychotoxizität (Qualität)	Primäre unverhüllte Ablehnung	⟶ Koma des Neugeborenen
	Primäre ängstliche übertriebene Besorgnis	⟶ „Dreimonatskolik"
	Feindseligkeit in Form von Ängstlichkeit	⟶ Neurodermitis des Säuglings
	Kurzschlägiges Oszillieren zwischen Verwöhnung und Feindseligkeit	⟶ Hypermotilität (Schaukeln)
	Zyklische Stimmungsverschiebungen	⟶ Koprophagie
	Bewußt kompensierte Feindseligkeit	⟶ Aggressiver Hyperthymiker
Mangelerscheinungen (Quantität)	Partieller Entzug affektiver Zufuhr	⟶ Anaklitische Depression
	Völliger Entzug affektiver Zufuhr	⟶ Marasmus

Aber: Es gibt auch Säuglinge, die keine symbiotische Vereinigung zulassen können!

Literatur

Spitz R (1972) Vom Säugling zum Kleinkind. Klett, Stuttgart
Spitz R (1957a) No and yes. International University Press, New York
Spitz R (1957b) Die Entstehung der ersten Objektbeziehungen. Klett, Stuttgart

M. S. Mahler

1. Autistische Phase (bis 3.-4. Woche);
2. Symbiotische Phase (3. Monat);
3. Phase der Trennung:
   a) Subphase der Differenzierung (5.-10. Monat),
   b) Subphase als Übungssubphase (frühe und eigentliche) 10.-16. Monat,
   c) Subphase der Wiederannäherung (16.-24. Monat):
      – beginnende Wiederannäherung,
      – Wiederannäherungskrise,
      – individuelle Lösung;
4. Individuation.

1. *Autistische Phase* (3.-4. Lebenswoche):
   - Aufrechterhaltung des homöostatischen Gleichgewichts,
   - Zustand primitiver halluzinatorischer Desorientiertheit,
   - Steigerung der Empfindlichkeit (nachgewiesen im EEG),
   - „Bersten der autistischen Schale" (das bedürfnisbefriedigende Objekt wird wahrgenommen).

2. *Symbiotische Phase* (Beginn 3. Lebensmonat):
   - halluzinatorisch-illusorische, somatophysische, omnipotente Fusion mit der Mutterrepräsentanz,
   - gesteigerte Aufmerksamkeit des Kindes,
   - affektiv-wahrnehmende Besetzung von Reizen,
   - Schaffung eines spezifischen Bandes zur Mutter („Dreimonatslächeln"; vgl. R. Spitz),
   - weg von koenästhetischem Empfinden:
   - sensorisches Erleben des mütterlichen und des eigenen Körpers langsam getrennt,
   - Höhepunkt der Erforschung der Haut und des Mundes.

3. *Trennungs- und Individuationsphase* (5.-24. Monat)
   a) Subphase der Differenzierung (5.-10. Monat):
   5. Monat: Bedeutung der Berührung für Abgrenzung und der libidinösen Besetzung des kindlichen Körpers durch die Mutter:
   - Säugling schmiegt sich an Mutter an,
   - Umgang mit Übergangsobjekten,
   - Kinder wacher, zielgerichteter;
   6. Monat: „Ausschlüpfen"; Loslösung erprobt durch:
   - Ziehen an Haaren, Ohren, Schmuck,
   - Essen in den Mund stecken,
   - wegstoßen, um Mutter zu sehen,
   - eigener Körper von dem der Mutter getrennt erlebt;
   8. Monat: Muster des Nachprüfens („checking back"):
   - abtasten, vergleichen – was ist Mutter?
   - Reaktion auf Fremde: Fremdenangst („Achtmonatsangst"; vgl. R. Spitz),
   - nicht nur Angst, auch Neugier,
   - lustvolles Forschungsverhalten.
   Ideale Beziehung: Mutter hat Symbiose ohne Konflikte genossen.
   Pathologisch: Mutter ambivalent, parasitär:
   - Kind wird bedrängt, erstickt;
   Folge: gestörte Differenzierung.
   - Kind kann sich nicht auf Mutter verlassen, muß sich selbst bemuttern (Symbiose verlängert);
   Folge: Entwicklung eines falschen Selbst;
   - rasches „Ausschlüpfen" mit Angstreaktionen bei unbehaglicher Symbiose;
   Folge: kein ausreichendes Reservoir an Urvertrauen, um die Mutterwelt zu verlassen.

b) Subphase als Übungssubphase (10.-16. Monat)
- Frühe Übungssubphase:
  - Krabbeln, Watscheln, Klettern, Sichaufrichten, Interesse an unbelebten Objekten (Decke, Windeln).
  - Mutter muß forschendem Kind Freiheit geben, aber sie bleibt „Heimatbasis" zum „emotionalen Auftanken".
  - Kurze Phase gesteigerter Trennungsangst möglich.
- Eigentliche Übungssubphase:
  - freie aufrechte Fortbewegung,
  - Üben motorischer Fähigkeiten libidinös besetzt,
  - körperliches Hochgefühl, sensorische Empfänglichkeit,
  - Penis wird entdeckt,
  - Erleben des Laufens kann nicht überschätzt werden,
  - „Liebesverhältnis mit der Welt beginnt" (Greenacre 1959),
  - Höhepunkt des Narzißmus (Beherrschung der Welt) mit Unempfindlichkeiten gegenüber Frustrationen,
  - narzißtische Besetzung der Körperfunktionen und des ganzen Körpers,
  - autonome Funktionen und Geschicklichkeit werden geübt,
  - Flucht aus der Verschmelzung,
  - Schritt zur Identitätsbildung.

c) Subphase der Wiederannäherung (16.-24. Monat)
Freie Fortbewegung und zunehmende kognitive Entwicklung (Sprache, Symbolisierungsfähigkeit),
Selbständigkeit wird verteidigt durch „nein" („Verneinungsgeste": nach Spitz 1967),
Kind entdeckt, daß ihm die Welt nicht gehört,
Getrenntheit von der Mutter wird bewußter.
- Beginnende Wiederannäherung:
  - „Weltbeherrscher" in Frage gestellt
  - eigene Wünsche (von Mutter und Kind)
  - Körper wird als Eigentum erlebt
  - soziale Interaktion:
    Versteck- und Nachahmungsspiele, Vater wird wichtiger;
  - bei Trennung:
    Aktivität gesteigert, Trauer abgewehrt, ohnmächtige Wut, Hilflosigkeit.
- Wiederannäherungskrise:
  - Einüben von Selbständigkeiten,
  - Mutter wegstoßen und an sich anklammern (Ambitendenz),
  - gleichzeitiges Verlangen (Ambivalenz),
  - Gefühle von Mutter getrennt (sonst erneut Fremdenangst),
  - Mutter als Erweiterung des Selbst,
  - Beginn der Empathie,
  - höheres Niveau der Ich-Identifizierung,
  - Aufspaltung der Objektwelt,
  - „gute" und „böse" Mutter,
  - Übergangsphänomene (bis Mutter wieder da: Stuhl als Organobjekt, Garderobe als „Übungszimmer").

- Individuelle Lösung:
    · Sprachentwicklung (Objekte benennen, kontrollieren),
    · Verinnerlichungsprozeß (Identifizierung),
    · symbolisches Spiel,
    · Erkennung des Unterschieds zwischen Jungen und Mädchen.

Zusammenfassung:
- Orale, anale, frühe genitale Konflikte und Zwänge fallen zusammen.
- Das Kind muß auf symbiotische Allmacht verzichten.
- Körperschema (und körperliches Unbehagen) wird wahrgenommen.
- Glaube an die Allmacht der Mutter wird erschüttert, Furcht vor Objektverlust gemildert, Internalisierung elterlicher Anforderungen (Über-Ich); dadurch Angst, die Liebe des Objektes zu verlieren; größere Verletzbarkeit.
- Körperliche Empfindungen und Beeinträchtigungen werden wahrgenommen (oral, anal, genital).
- Entdeckung des Geschlechtsunterschiedes.

Bei nicht optimaler Entwicklung:
- ausgeprägter Ambivalenzkonflikt (Anklammern und Negativismus = Ambitendenz),
- Objektwelt in „gut" und „böse" gespalten, Ausübung von Zwang gegenüber der Mutter.

Literatur

Greenacre P (1959) Play in relation to creative imagination. Psychoanal Study Child 14: 61-80
Mahler MS (1972) Symbiose und Individuation, Klett, Stuttgart
Mahler MS (1975) Symbiose und Individuation. Psyche (Stuttg) 29: 609-625
Mahler MS, Pine F, Bergman A (1978) Die psychische Geburt des Menschen. Fischer, Frankfurt

O. F. Kernberg

Genese narzißtischer Persönlichkeitsstörungen:
- Ursache der pathologischen Verschmelzung von Idealselbst, Idealobjekt- und Realselbstrepräsentanzen ist eine pathologisch verstärkte Ausprägung oraler Aggression. Diese kommt zustande
    · konstitutionell:
    starker Aggressionstrieb,
    geringe Angsttoleranz hinsichtlich aggressiver Impulse;
    · entwicklungspsychologisch:
    schwere Frustrationen in den ersten Lebenswochen,
    dominierende, kalte, narzißtische und überfürsorgliche Mütter,

- verbunden mit
  · Gefühlen des Ungeliebtseins;
  · Rache, Neid, Haß wird abgewehrt und kompensiert: „Ich bin etwas Besonderes";
  · Kinder haben tatsächlich etwas Besonderes, was narzißtisch bedürftige Mütter aus- bzw. benutzen.

Narzißtische Persönlichkeitsstörungen:
- Entwicklungsschicksale der libidinösen und aggressiven Impulse lassen sich nicht von der Entwicklung der Objektbeziehungen trennen.
- Narzißtische Persönlichkeiten haben Störungen des Selbstwertgefühls, der zwischenmenschlichen Beziehungen.
- Symptome:
  · Größenphantasien,
  · Minderwertigkeitsgefühle,
  · Angewiesensein auf Bewunderung durch andere,
  · oberflächliches Gefühl,
  · Grundverfassung: Leere, Gleichgültigkeit,
  · großes Maß an Selbstbezogenheit im Umgang mit anderen Menschen,
  · wenig Empathie,
  · Unfähigkeit, echte Abhängigkeit von anderen Menschen zu entwickeln,
  · starker Neid auf andere,
  · Neigung zur Idealisierung oder
  · Entwertung anderer,
  · mitmenschliche Beziehungen ausbeuterisch bis parasitär.

Gestörte Individuen haben
- primitive verinnerlichte Objektbeziehungen bedrohlicher Art,
- auch idealisierte Gestalten: entstammen der Projektion eigener überhöhter Selbstbilder,
- pathologisches Größenselbst mit verkümmerten Objektbeziehungen,
- Größenselbst als Verschmelzungsprodukt von Anteilen des Realselbst, des Idealselbst, der Idealobjekte,
- *Folgeerscheinungen:*
  · gestörte Über-Ich-Integration (Aspekte enthalten primitive, aggressive, entstellte Qualität),
  · Externalisierungen aggressiver Über-Ich-Anteile in Form paranoider Projektionen,
  · Abhängigkeit von äußerer Quelle der Bewunderung (Defekt des Ich-Ideals),
  · pathologische Objektbeziehungen mit Verleugnung der Abhängigkeit (und evtl. Entwertung).

3 Untergruppen narzißtischer Persönlichkeitsstörungen mit
- hohem Strukturniveau:
  · gute, aber oberflächliche Funktionstüchtigkeit (Probleme zeigen sich häufig erst in der Lebensmitte beim Zusammenbruch der Illusionen von Grandiosität),

- mittlerem Strukturniveau:
  · mit Beziehungsstörungen, Leeregefühlen, neurotischen Symptomen
- Borderlineniveau:
  · mit primitiver Abwehrkonstellation, Ich-Schwäche mit mangelnder Angsttoleranz und Affektkontrolle.

Literatur

Kernberg O (1975) Zur Behandlung narzißtischer Persönlichkeitsstörungen. Psyche (Stuttg) 29: 890–905
Kernberg O (1978) Border-line-Störungen und pathologischer Narzißmus. Suhrkamp, Frankfurt
Kernberg O (1981) Objektbeziehungen und Praxis der Psychoanalyse. Klett, Stuttgart

H. Kohut

Symptome bei narzißtischer Persönlichkeitsstörung:
- Arbeits- und Konzentrationsstörungen,
- perverse Handlungen,
- schwere Selbstwertprobleme,
- intensive Gefühle der Leere, der Verlassenheit, der Sinnlosigkeit,
- Depression,
- Schamanfälligkeit,
- Kränkbarkeit,
- Störungen des „Körperselbst",
- Erkennung der narzißtischen Störung v.a. an der Beobachtung der Übertragung.

Genese:
- Fixierung an das archaisch bleibende Größenselbst:
  · Angst vor neuerlicher Zurückweisung abgewehrt,
  · vertikale Spaltung (Abspaltung von Größenphantasien; neben arroganter Haltung Minderwertigkeitsgefühle),
  · horizontale Spaltung (Abwehr gegen die Forderungen des archaischen Größenselbst, verbunden mit depressiven Verstimmungen, Minderwertigkeitsgefühlen, Kälte, distanziertem Verhalten).
- Fixierung an die archaisch idealisierte Elternimago:
  · Unterbrechung des normalen Prozesses der Entidealisierung der Elternimago,
  · Verinnerlichung elterlicher Funktionen verhindert,
  · daraus resultierende Störungen:
  allgemeine Strukturschwäche,
  narzißtische Verwundbarkeit,
  mangelhafte Fähigkeit zur Neutralisierung sexueller und aggressiver Triebimpulse,
  immer auf der Suche nach äußeren Autoritäts- und Idealfiguren (unvollkommene Idealisierung des Über-Ich).

Klassifizierung der Selbstobjektübertragungen:
- Spiegelübertragung,
- idealisierte Übertragung,
- Zwillings- oder Alter-Ego-Übertragung.

Kernpsychopathologie:
- primärer Defekt des Selbst (nicht mehr Defekte des Ich, Über-Ich und Funktionsstörungen):
  - tiefste Schichten betroffen,
  - Störungen im Bereich des archaischen Größenselbst,
  - Ursprünge in der präverbalen Phase,
  - mangelnde Spiegelung der Mutter,
  - gesunde Grandiosität des Kindes mißlingt.
- Defensive (sekundäre) Strukturen des Selbst dienen der Abwehr des Selbstdefekts:
  - aktiviert bei narzißtischen Kränkungen,
  - kompensatorische Struktur oft Bestandteil des Selbst (System von Idealen, Ich-Funktionen und den Folgen mit Kreativität, Produktivität) mit der Chance, ein kohärentes Selbst zu entwickeln.

Das Selbst besteht aus 3 Bereichen (sie entsprechen den Selbstobjektbedürfnissen); 3 Pole:
- Strebungen,
- idealisierte Ziele,
- Fertigkeiten und Begabungen.

Literatur

Kohut H (1966) Formen und Umformungen des Narzißmus. Psyche (Stuttg) 20: 561–567
Kohut H (1971) Introspektion, Empathie und Psychoanalyse. Psyche (Stuttg) 25: 831–855
Kohut H (1973a) Narzißmus. Suhrkamp, Frankfurt
Kohut H (1973b) Überlegungen zum Narzißmus und zur narzißtischen Wut. Psyche (Stuttg) 27: 513–533
Kohut H (1975) Die Zukunft der Psychoanalyse. Suhrkamp, Frankfurt
Kohut H (1979) Die Heilung des Selbst. Suhrkamp, Frankfurt
Kohut H (1987) Wie heilt Psychoanalyse? Suhrkamp, Frankfurt

E. Jacobson

- Ich und Es und beide Arten von Trieben zuerst undifferenziert („frühestes psychophysiologisches Selbst").
- Unterscheidung von Selbst und Objekt, wie es erlebt wird, von dem realen Selbst und Objekt („Repräsentationen").
- Neben dem Fütterungsvorgang spielen alle befriedigenden und frustrierenden Erfahrungen eine Rolle: Überwindung des psychosexuellen Aspekts der Oralphase.
- Primär affektive Identifizierungen verschmelzen mit dem Objekt (durch Fähigkeit zur Empathie).

- Selektive Identifizierungen durch teilweise Introjektion.
- Förderung einer festen libidinösen Besetzung des Selbst und der Objekte durch erträgliches Maß an Frustration.
- Wachstumsfördernde Eigenschaften des Aggressionstriebes; das Kind erlebt nicht nur Frustration, sondern auch
  · Ambition,
  · Besitzgier,
  · Rivalität,
  · Enttäuschung,
  · Versagen.
- Dauerhafte Identifizierungen hängen vom Gleichgewicht von Libido und Aggression ab.
- Objektbeziehungen wachsen entsprechend dem Erreichen der Identität.
- Schritte zur Strukturierung (erste Wochen):
  · Triebe haben sich geschieden in libidinöse und aggressive,
  · Neutralisierung hat begonnen,
  · Repräsentationen des Selbst und der Objektwelt werden aufgebaut.

Theorie der Psychose:
- undifferenzierte Selbst- und Objektrepräsentanzen verschmelzen,
- dem Psychotiker fehlt die Identität.

Depression:
- intrapsychischer Konflikt zwischen der Wunschvorstellung des Selbst und der Imago des versagenden Selbst;
- bei frühem Objektverlust, Unfähigkeit des primitiven Ich zu trauern und narzißtische und Ambivalenzkonflikte aufzulösen;
- Objekte unterschätzt und überidealisiert.

Über-Ich:
Außer den bekannten Funktionen:
- Aufrechterhaltung der Identität durch das Über-Ich;
- liefert ein stabiles Gleichgewicht,
- reguliert die Selbsterhaltung,
- ist Indikator des gesamten Ich-Zustands,
- trägt zur Entwicklung einer kohärenten, konsistenten Abwehrorganisation bei (wird sonst dem Ich zugeschrieben).

Literatur

Jacobson E (1975) Denial and regression. J Am Psychoanal Assoc 5: 61–87
Jacobson E (1974) Das Selbst und die Welt der Objekte. Suhrkamp, Frankfurt
Jacobson E (1978) Depression. Suhrkamp, Frankfurt

M. Klein

Zur präödipalen Phase des Kindes:
- Betonung des oralen Sadismus, der Einverleibung bzw. Inkorporation.
- Das Kind hat Angst vor dem eigenen Sadismus, schützt sich durch die Phantasien der Einverleibung des väterlichen Gliedes.
- Introjiziertes Glied bildet Grundlage des Über-Ich mit der Möglichkeit, Haßimpulse zu projizieren bzw. sadistische Wünsche zu hemmen.

I. Phase der oralen Aggression
1. Sadismus der mütterlichen Brust gegenüber.
2. Sadismus wird auf das väterliche Glied übertragen.
3. Das väterliche Glied ist im Leib der Mutter.
4. Der Sadismus richtet sich allgemein gegen die Mutter.

II. Phase der Abwehr
1. Das Glied wird introjiziert.
2. Damit wird die Grundlage des Über-Ich gebildet.
3. Dies ermöglicht Projektion und Aggression in die Umwelt.
4. Die Aggression kann durch Strenge eingedämmt werden.

III. Phase von wechselnder Projektion durch Introjektion
1. Die Projektion sadistischer Impulse in die Umwelt schafft „böse" Objekte.
2. Diese werden durch orale Aggression wieder inkorporiert und introjiziert,
3. Introjektionen bilden zusätzlich die Grundlage des Über-Ich.

- Entwicklung des Ödipuskomplexes vor der eigentlichen ödipalen Phase.
- Entwicklung des Über-Ich vor der oralen Phase.
- Unterschied in der Entwicklung von Mädchen und Jungen:
  · Das Mädchen identifiziert sich mit der Mutter, die den Penis einverleibt hat, glaubt deshalb, auch ein Glied zu besitzen (deshalb Entwicklung eines stärkeren Über-Ich und länger anhaltenden Allmachtsvorstellungen).
  · Der Junge entdeckt früh die Existenz seines Gliedes; er will das väterliche Glied im Leib der Mutter zerstören; erst dann entwickelt sich die Kastrationsangst.

Depression:
- unbewußte Phantasien über die endgültige Zerstörung des „guten" Objektes (Mutterbrust oder Mutter-und-Vater-Imago);
- das Ich kann die „guten" Objekte nicht gegen die sadistischen Impulse schützen.

Neurose/Psychose:
- Versuche des Ich, die Angst zu überwinden, sich nicht gegen die sadistischen Impulse wehren zu können.

Literatur

Klein M (1962) Das Seelenleben des Kleinkindes und andere Beiträge zur Psychoanalyse. Klett, Stuttgart (Beiheft zur „Psyche")
Knapp G (im Druck) Narzißmus und Primärbeziehung. Psychoanalytisch-anthropologische Grundlagen für ein neues Verständnis von Kindheit
Money-Kyrle RE (1975) Melanie Kleins Beiträge zur Psychoanalyse. Psyche (Stuttg) 29: 223–241
Wyss D (1972) Die tiefenpsychologischen Schulen von den Anfängen bis zur Gegenwart. Vandenhoeck & Ruprecht, Göttingen

D. W. Winnicott

Einige Thesen:
- Das Selbst ist immer das werdende Selbst.
- Wichtig: ausreichend gute/nicht ausreichend gute „child care".
- Enge symbiotische Beziehung („There is no such thing as a baby").
- Der Säugling ist ein erlebendes („experiencing") Individuum in der Beziehung zu seiner Umwelt.
- Zwei Aspekte des Selbst:
  · erfährt sich aus der interpersonalen Kommunikation; aus der gemeinsamen Lebenserfahrung zwischen Kleinkind und Mutter zur Erfahrung des intermediären Raumes, zum Erleben in der kulturellen Erfahrung;
  · das nicht kommunizierende, zentrale Selbst kommuniziert in Fällen von Gesundheit primär nicht.
- Für die „continuity of being" ist eine perfekte Umgebung nötig. Sie paßt sich aktiv den Bedürfnissen der neugeformten Psyche-Soma-Struktur an („good-enough mother").
- „Fördernde Umwelt" für Reifungsprozeß unabdingbar.
- Aus der primären Nichtintegration entwickelt sich die Integration.
- Erreichen einer psychosomatischen Existenz durch die mütterliche Pflege.
- Die gesunde Entwicklung setzt die Spiegelfunktion der Mutter voraus.
- Konzept des „wahren und falschen Selbst":
  · das wahre Selbst stammt aus der Lebendigkeit des Körpers (Herzschlag, Atmung, Muskelaktivität); die spontane Geste ist das wahre Selbst in Aktion;
  · das falsche Selbst stammt aus der Anpassung des Säuglings an die Mutter; die „not good-enough mother" drängt dem Kind ihre eigene Geste auf.
- Prägung des Begriffs „Übergangsobjekt", Übergangsphänomen im Sinne des Erkennens als Nicht-Ich-Objekt.

Literatur

Schacht L (1986) Die früheste Kindheitsentwicklung und ihre Störungen aus der Sicht Winnicotts. In: Uexküll TH von (Hrsg) Psychosomatische Medizin. Urban & Schwarzenberg, München Wien, Baltimore, S 68–80
Winnicott DW (1973) Vom Spiel zur Kreativität. Übergangsobjekte und ihre Funktion bei der Entwicklung des Ich und des Selbst. Klett, Stuttgart
Winnicott DW (1974) Reifungsprozesse und fördernde Umwelt. Kindler, München

Traum

Entscheidungsfreiheit, Traum und Tod heben den Menschen über das Tier mit seinem nur instinktiven Verhalten hinaus.

Traum allgemein:
- Hüter des Schlafes,
- Ventil für Konflikte,
- Mittel der Wunscherfüllung,
- Mittel der Bestrafung (durch Angst),
- existentielles Geschehen (das dem Träumer „etwas sagen will"),
- „Schattenseitenerleben" (nach Jung „dunkle Seite" der Person),
- Stück Lebensgeschichte,
- Versuch einer „Problemlösung".

3 Traumkategorien:
- sinnvoll, verständlich (Träume lassen sich, v. a. bei Kindern, in Erlebniszusammenhang einfügen);
- sinnvoll, aber befremdlich (scheinbar nicht zum Erleben passend);
- sinnlos, befremdlich (scheinbar unzusammenhängend und verworren).

Traumtheorie (nach Freud)

Der manifeste *Traum* (das, was erzählt wird) entsteht aus den *dahinterliegenden Traumgedanken* durch die *Traumarbeit;* diese unterliegt einer inneren *Zensur,* um peinliche, angstauslösende Gedanken herauszufiltern durch
- Verdichtung (wie mehrfach übereinander belichteter Film; „Mischpersonen"; Doppelsinn),
- Verschiebung (emotional Bedeutsames wird auf Nebensächliches „verschoben"),
- Symbolik (ähnlich wie Bilderrätsel; Zuständlichkeiten werden durch Gegenständliches ausgedrückt),
- Traumarbeit (die durch Deutungsarbeit „rückgängig" gemacht wird).

Die Traumsprache artikuliert sich vorwiegend bildhaft. Der Analytiker hat eine Übersetzungsaufgabe: Bilder sollen in Worte und Gedanken gefaßt werden. Inzwischen bekannt: Im REM-Schlaf werden eher irrationale, im Non-Rem-Schlaf eher „vernünftige" Träume geträumt.

Traumentstehung:
- Tagesreste und
- infantile (unbewußte) Wünsche;
- Ursprung, Wesen, Funktion des Traumes als Versuch der Beseitigung psychischer Reize mit Hilfe halluzinatorischer Befriedigung (Freud 1916/17);
- Traum als Kompromiß zwischen
  · Schlafwunsch und
  · Selbstbestrafungswunsch (vom Über-Ich ausgehend);
- Träume sind absolut egoistisch (Freud 1900);
- im Traum geht es um Selbstdarstellungen durch Identifizierungen;
- „Selbstzustandsträume" (nach Kohut 1979: bildhafte Darstellung der bedrohlichen Selbstauflösung, z. B. Flugträume).

Technik der Traumdeutung

Sinn: Unbewußtes (Triebe, Abwehrmechanismen, Tabus, genetische Zusammenhänge, Übertragungsgeschehen) bewußt machen; Traumarbeit rückgängig machen, latente Gedanken wiederfinden, und zwar mittels
- freier Assoziation (freie Einfälle zum Traum)
- Herstellen der „analytischen Situation" (Analysand soll keine Reaktion des Analytikers wahrnehmen, um nicht beeinflußt zu werden),
- Konfrontation, um
  · eine Erschütterung zu bewirken,
  · eine Bewußtseinserweiterung zu ermöglichen,
  · Kräfte freizusetzen, die in den Abwehrmechanismen gebunden waren,
  · Ziele aufzuzeigen oder auf Ziele hin den Analysanden wachsen zu lassen.

Arten der Traumdeutung (des Traumgeschehens)

- Objektstufendeutung (Verdichtung der Erlebnisse mit realen Personen),
- Subjektstufendeutung (vorkommende Personen als Personifizierung eigener Wesenszüge, leibhaftig gewordene „Teilseelen"),
- Übertragungsdeutung (bezogen auf die analytische Situation),
- kategoriale Deutung (dynamischer Aspekt, was tut der Träumende?),
- Symboldeutung (heute eher vorsichtig gehandhabt).

3 Widerstandsformen:
- endlose Assoziationen (gehen nicht in die Tiefe),
- Patient träumt nicht, vergißt die Träume,
- Traumüberschwemmung (Analytiker wird mit Material zugedeckt).

Initialtraum: Wichtig, enthält oft Struktur, Genese, Problematik, Ansatzmöglichkeiten für die Gesundung (kann oft erst am Ende der Analyse verstanden werden).

Gefahr der Spekulation; Schutz durch:
- Einfälle des Träumers, nicht des Analytikers heranziehen, Zurückhaltung eigener Aktivität;
- jeden Traum in Zusammenhang mit dem ganzen Leben des Träumers sehen (Tagesrest, Diagnose, Stand der Analyse);
- Therapeut muß eigene Erfahrung haben; sie kontrollieren lassen von Erfahrenen;
- Evidenzerlebnisse des Analysanden wichtig.

Die Traumdeutung muß 3 Komponenten haben:
- Übertragungsbeziehung,
- aktuelle Außenbeziehung,
- historische Dimension.

Anforderungen an die Traumdeutung (Nach Freud und Fromm 1964):
- Die verschiedenen Bedeutungen eines Traumes müssen zusammenpassen.
- Sie müssen zur emotionalen Situation des Träumers im Augenblick des Träumens passen.
- Ein Teil darf nicht für das Ganze genommen werden.
- Prokrustesbettechnik darf nicht angewendet werden.
- Zwei Schritte der Deutungsarbeit:
  · aktuelles Problem,
  · gleichartiges historisches Problem (evtl. Übertragungsaspekt).
- Prüfbarkeit:
  · Rekonstruktion der kognitiven Struktur des Traumes,
  · Widersprüche als wichtige Hinweise für neue Ideen.
- Mehrere Träume sind nötig für „historical interpretations".

Literatur

French TM, Fromm E (1964) Dream interpretation. Basic Books, New York
Freud S (1900/1952) Traumdeutung. Imago, London, GW Bd 3
Freud S (1916/17, 1952) Vorlesungen zur Einführung in die Psychoanalyse. GW Bd 11
Freud S (1925/1952) Bemerkungen zur Theorie und Praxis der Traumdeutung. GW Bd 13, S 299-314
Greenson RR (1973) Technik und Praxis der Psychoanalyse. Klett, Stuttgart
Jung CG (1943) Über die Psychologie des Unbewußten. Rascher, Zürich
Kohut H (1979) Die Heilung des Selbst. Suhrkamp, Frankfurt
Lüders W (1982) Traum und Selbst. Psyche (Stuttg) 36: 813-829
Spence DP (1981) Toward a theory of dream interpretation. Psychoanal Contemp Thought 4: 383-405
Thomä H, Kächele H (1986) Lehrbuch der psychoanalytischen Psychotherapie. Springer, Berlin Heidelberg New York Tokyo
Wolman BB (1975) (ed) Handbook of dreams. Van Nostrand, New York

2 Spezielle Neurosenlehre

Konflikt

Konfliktreaktion:
- abnorme Erlebnisreaktion,
- erlebnisreaktive Störungen
  - mit psychischen und körperlichen Symptomen,
  - von begrenzter Dauer,
  - mit guter Prognose,
  - sind keine Neurosen.

Erschöpfungsreaktion:
- unspezifische Gruppe von Beeinträchtigungen vorwiegend vegetativer Art mit fließenden Übergängen zur Neurose.

Neurotischer Konflikt:
- Konflikt zwischen Es und Ich,
- verinnerlichter Konflikt zwischen ursprünglichen Bedürfnissen des Individuums und den Bedürfnissen und Interessen der Außenweltobjekte.

Einteilung der Konflikte:
- *Äußerer Konflikt, realer Konflikt,* mit Realangst einhergehend zwischen Individuum und Umwelt; Umwelt entscheidend, muß nicht neurotisch sein.
- *Verinnerlichter Konflikt, Gewissenskonflikt,* mit Gewissens- oder Über-Ich-Angst einhergehend; äußere Konfliktsituation durch Internalisierung verinnerlicht; Konflikt zwischen Ich und Über-Ich (Wünsche nach Befriedigung u. Versagung der Befriedigung); Umwelt indirekt beteiligt; muß nicht neurotisch sein.
- *Innerer Konflikt, neurotischer Konflikt,* mit Es- oder Triebangst einhergehend; Konflikt zwischen Es und der durch das Über-Ich verstärkten Abwehrstrukturen des Ich; Ambivalenzkonflikt (triebhafte gegensätzliche Impulse vorhanden), ohne Beteiligung der Umwelt.

Verursachung der Neurose nach Freud. (Nach Mertens 1981)

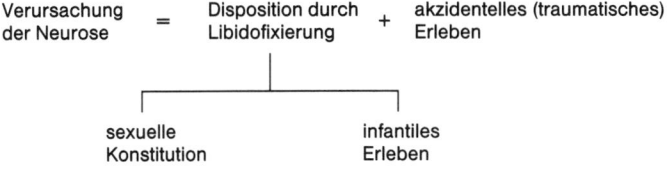

Zusammenhang von äußerem und innerem Konflikt. (Nach Mertens 1981)

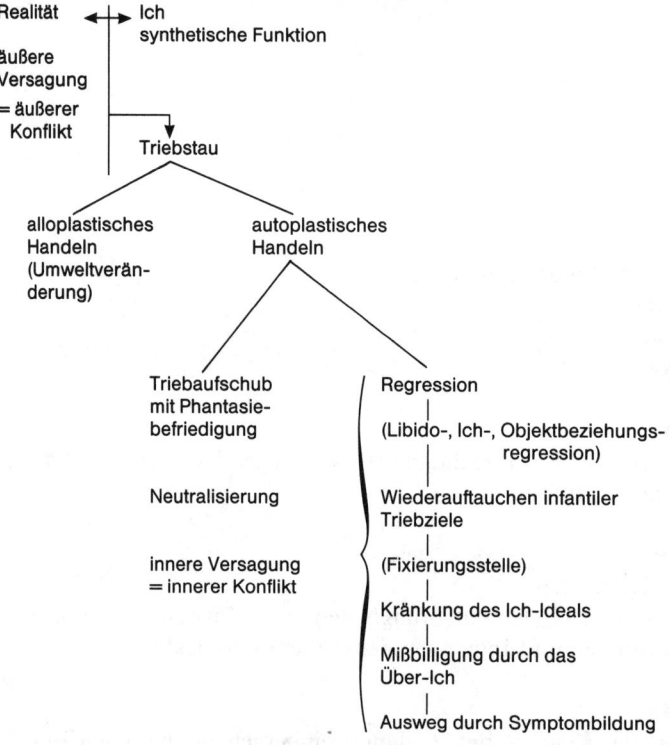

Literatur

Bräutigam W (1978) Reaktionen – Neurosen – Abnorme Persönlichkeiten. Thieme, Stuttgart New York
Freud S (1895/1952) Studien über Hysterie. Imago, London, GW Bd 1
Freud S (1915/1952) Einige Charaktertypen aus der psychoanalytischen Arbeit. GW Bd 10
Freud S (1916/17, 1952) Vorlesungen zur Einführung in die Psychoanalyse. GW Bd 11
Loch W (1967) Die Krankheitslehre der Psychoanalyse. Hirzel, Stuttgart
Mertens W (1981) Psychoanalyse. Kohlhammer, Stuttgart
Nunberg H (1959) Neurosenlehre. Huber, Bern

Neurosen

Charakterisierung, Differentialdiagnose, Therapie

Definition:
- mißlungene Verarbeitungs- und Lösungsversuche unbewußter, von ihrer Genese her infantiler Konflikte, die durch eine auslösende Situation reaktiviert wurden (Psychoanalyse);
- Lösungsversuche von unbewußten Trieb-Abwehr-Konflikten mit intraindividuell unteroptimalem Ausgang (Psychoanalyse);
- erlerntes, fehlangepaßtes Verhalten mit der Ausbildung bedingter Reflexe (Lerntheorie).
- Neurosen sind geprägt von
  · Kompromißbildungen,
  · Folgezuständen reaktivierter, unbewußter, infantiler Konflikte,
  · Lösungsversuchen.

Mechanismus neurotischer Symptombildungen:
- konflikthafte verdrängte Erlebniszusammenhänge dringen in das Bewußtsein ein; sie bestehen aus 5 Teilstücken:
  · Vorstellung (im Symptom etwa als Zwangsvorstellung sichtbar),
  · dazugehöriger Affekt (neurotische Depression),
  · korrespondierender motorischer Impuls (v.a. bei Zwangshandlungen und Konversionssymptomen),
  · vegetative Begleiterscheinungen des Affekts (Zittern, Erröten),
  · sekundärer negativer Affekt, mit dem Komplex gekoppelt, führte ursprünglich zu seiner Verdrängung (meist Angst).

Einteilung (geschichtlich). (Nach Laplanche u. Pontalis 1986)

1915	Aktualneurosen	Neuropsychosen	
		Übertragungs ~	narzißtische ~
1924	Aktualneurosen	Neurosen	narzißtische Neurosen	Psychosen
Gegenwärtige Einteilung	Psychosomatische Affektionen	Neurosen	manisch-depressive ~	Psychosen Paranoia, Schizophrenie

Begriffsentwicklung. (Nach Binder, zit. nach Bräutigam 1978)

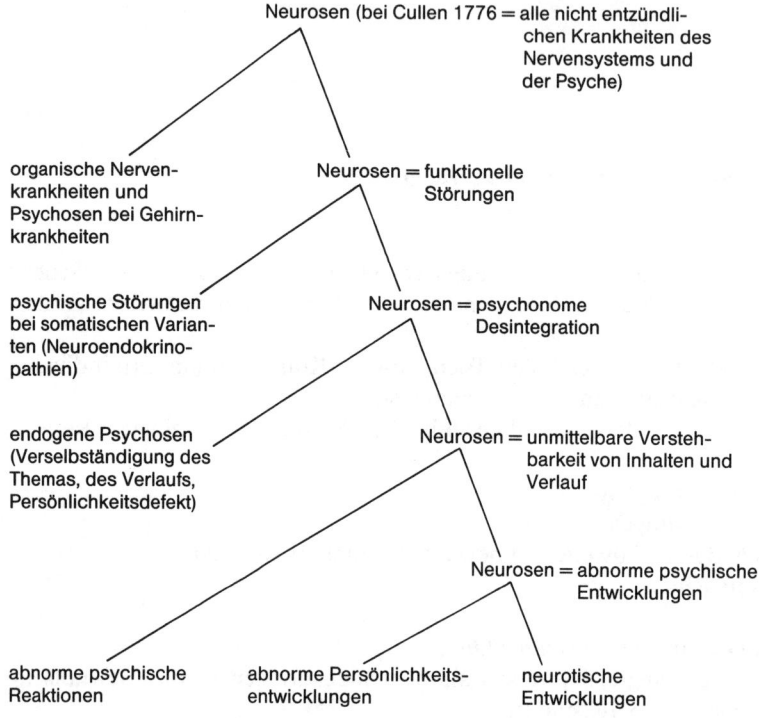

Neurose geht einher mit
- Entwicklungsstörungen der Persönlichkeit; dabei Einschränkungen
  · im emotionalen Bereich,
  · der zwischenmenschlichen Entfaltungsmöglichkeiten,
  · der Selbstbejahung,
  · der Entfaltung sexueller, motorischer, aggressiver Triebregungen,
  · der Fähigkeit zu vertrauensvoller Hingabe;
- Fixierung an eine belastende infantile Grunderfahrung mit Bildung von „Komplexen", die Weltbezug stören;
- unbewußten Einschränkungen;
- Konflikt zwischen bestimmten (Es-)Vorstellungen und verdrängenden (Über-Ich-)Tendenzen;
- charakterliche Fehlhaltungen mit
  · Unsicherheit, Ängstlichkeit, Hemmungen,
  · Ambivalenzkonflikten in Beziehungen,
  · Störungen der eigenen Gefühlswelt,
  · Störungen in der Gefühlsbeziehung zu anderen Personen;
- Symptomen wie
  · phobischen Ängsten,
  · Zwangsgedanken und -impulsen,

- wiederholten Verstimmungen,
- körperlichen Konversionserscheinungen,
- charakterliche Fehlhaltungen.

Neurose umschreibt
- emotionale und kognitive Entwicklungsstörungen.

Dynamisches Neurosenverständnis der Psychoanalyse. (Nach Hoffmann u. Hochapfel 1979)

Definition: Neurosen sind Versuche (Kompromißbildungen), unlösbare Konflikte in einen subjektiv leichter erträglichen Zustand umzuwandeln.

Zur Genese: Die neurotischen Konflikte sind
- unbewußt,
- biographisch verstehbar,
- infantile Internalisierungen ursprünglich sozialer Konflikte.

Zur Finalität: Die neurotischen Erscheinungen (Symptome) sind
- ein Kompromiß zwischen subjektiv unvereinbaren Tendenzen,
- Versuche, Angst (und/oder Unlust) um jeden Preis zu vermeiden,
- ein Rekonstruktions- und Selbstheilungsversuch,
- die individuell bestmögliche Organisationsform eines psychischen Konflikts,
- ein Versuch einer subjektiv erträglichen Selbstwahrnehmung und Selbstdarstellung,
- als Konfliktlösung letztlich unzureichend („unteroptimal").

Typische Charakterstrukturen. (Nach Freud, zit. nach Hoffmann u. Hochapfel 1979)

Oraler Charakter:
- Gier nach Speisen und Menschen,
- Abhängigkeit von anderen,
- Tendenz zu symbiotischen Bezügen und Identifikationen,
- Sublimierung: Feinschmecker, Redner,
- Reaktionsbildung: Askese, Ungeselligkeit.

Analer Charakter:
- Neigung zu Wutausbrüchen,
- sadistische Impulse, Ärger, Haß, Rachsucht,
- Reaktionsbildung (analer Charakter im gebräuchlichen Sinne):
  - Ordnungsliebe (Pedanterie),
  - Sparsamkeit (Geiz),
  - Eigensinn (Intoleranz).

Urethraler Charakter:
- Ehrgeiz,
- Herrschsucht,
- Rivalität.

Phallischer Charakter:
- Neid, Rivalität, (bei Frauen) Minderwertigkeitsgefühle gegenüber den Männern,
- Unzufriedenheit mit der eigenen Geschlechtsrolle,
- Aggressivität,
- Wünsche, andere zu dominieren.

Narzißtischer Charakter:
- Selbstliebe, Selbstverherrlichung,
- Wunsch nach (passivem) Geliebtwerden,
- Selbsterhaltung;
- kühle Menschen, die sich als unwiderstehlich erleben,
- Sublimierung:
  - Schauspieler,
  - Führertypen, die andere beeinflussen können.

Genitaler Charakter:
- reif, liebevoll, freundlich, kontaktbereit.

Grobe Zuordnung der Konflikte und Symptome zu den Entwicklungsphasen

Psychosexuelle Entwicklung	Impulse	Konflikte	Neurose
- oral/intentional	selbstbildbezogene (narzißtische)	narzißtische	„frühe Störung"
- oral	anaklitische	Abhängigkeits ~	depressiv
- anal	aggressive selbstbestimmende	Aggressions ~, Autonomie ~	zwanghaft
- phallisch/ödipal	(genital-)sexuelle	ödipale	hysterisch
- Latenz	–	–	–
- Pubertät	aggressive/sexuelle	Autonomie ~/ ödipale	

Neurotische Störungen im Rahmen des Strukturmodells. (Nach Heigl 1972)

Folgeerscheinungen: primär	sekundär	tertiär
Gehemmtheit	Bequemlichkeit, Initiativelosigkeit	Arbeitsstörungen lückenhafte Menschenkenntnis / Genußunfähigkeit / unbefriedigende Freizeitgestaltung
Haltung (illusionäre Erwartungen und Ansprüche)	Enttäuschungsstimmung	Vorwurfseinstellung / Überkompensation / Ersatzbefriedigung
	neurotisches Ideal, Ideologie	neurotischer Stolz / Selbsthaß
gestörtes Selbstwertgefühl	Kränkbarkeit, Empfindlichkeit	Rache — aktiv / passiv

Impuls → Verwöhnung / Härte (Angstreflexe)

Abwehrmechanismen und Neurosenstrukturen

Hysterische Neurose/Phobie:
- Verdrängung,
- Verleugnung,
- Verschiebung,
- Projektion.

Neurotische Depression:
- Identifizierung mit dem Aggressor,
- Wendung gegen das Selbst,
- Introjektion.

Zwangsneurose:
- Intellektualisierung,
- Rationalisierung,
- Reaktionsbildung,
- Isolierung vom Inhalt, vom Affekt,
- Ungeschehenmachen.

Neurosen

Neurosenlehre und psychosomatische Medizin (nosologische Gesamtübersicht). (Nach Hoffmann u. Hochapfel 1979)

	Psychische Symptome	Körperliche Symptome	Charakterliche Störung
„Frühe Störungen"	Atypische Neurosen, Borderlinesyndrome, narzißtische Neurosen, Psychosen		Suchten, Delinquenz, Soziopathie, neurotische Charaktere, Perversionen
Psychoneurosen	Klassische Psychoneurosen, „Übertragungsneurosen"	(Hysterische) Konversionsneurose, Ausdruckskrankheiten (v. Uexküll 1969)	Charakterneurosen
Psychosomatosen (im engeren Sinne)		Psychosomatosen („Somatopsychosomatosen" nach Engel und Schmale 1967) Organneurosen (Alexander 1950), Bereitstellungskrankheiten (v. Uexküll 1969)	Alexithymie?
Psychovegetative Erscheinungen		Funktionelle Syndrome, „vegetative Dystonie"	

Symptomorientierte Synopsis der neurotischen und anderer klinischer Bilder. (Nach Hoffmann und Hochapfel 1979)

Charakterneurose, „abnorme Persönlichkeit"	Kurzzeitige Reaktion	Neurose	Psychose
Paranoider Charakter	Paranoide Reaktion	Sensitive Entwicklung (paranoide Neurose)	Paranoide Psychose „Paranoia"
Schizoider Charakter	–	(schizoide Neurose)	Schizophrene Psychose
Narzißtischer Charakter	Narzißtische Krise,	Narzißtische Neurose („Pan-Neurose"), Borderlinesyndrom,	(Hebephrenie),
	episodische Depersonalisation/Derealisation, hypochondrische Reaktion	*Depersonalisation, Derealisation bei Neurosen, Hypochondrie*	Depersonalisation, Derealisation bei Psychosen, hypochondrischer Wahn

Charakterneurose, „abnorme Persönlichkeit"	Kurzzeitige Reaktion	Neurose	Psychose
Depressiver Charakter	Depressive Reaktion („Trauer")	*Neurotische Depression*	Depressive Psychose („endogene Depression", „Melancholie")
Zwangscharakter	(„anankastische Reaktion")	*Zwangsneurose*	Zwangserscheinungen bei verschiedenen Psychosen
(Angstcharakter)	„Angstanfall"	*Angstneurose* *Phobie* (Angsthysterie)	Angstzustände bei verschiedenen Psychosen
Hysterischer Charakter	(hysterische Reaktion)	*Hysterische Neurose/ Konversionsneurose*	(„hysterische Psychose")

Differentialdiagnose entwicklungsbedingter Störungen. (Nach Hoffmann u. Hochapfel 1979)

	Konfliktreaktionen	Neurotische Entwicklungen	Abnorme Persönlichkeitsentwicklungen
Symptomatik	Abnorme Erlebnis- und Verhaltensweisen (Depression, Erschöpfung, Selbstmordversuch usw.)	Symptome von Krankheitswert wie Angst, Zwang, hysterische Zeichen; Hemmungen, Verstimmbarkeit, Selbstunsicherheit	Gesellschaftlich unangepaßtes Verhalten durch starres Handelnmüssen und eingeengtes Erleben
Auslösung	Als Antwort auf äußere Belastungen und Konflikte	Charakteristische Versuchungs- und Versagungssituationen (Schlüsselerlebnisse)	Geringe äußere Anlässe (Schwellensituationen) oder schleichend
Verlauf	Abklingen mit Konfliktverarbeitung	Primordialsymptomatik in der Kindheit, Manifestation zwischen 20 und 40 Jahren, Neigung zur Chronifizierung	Bei eigenweltbestimmter und umweltstabiler Entwicklung eher in der 2. Lebenshälfte, Chronifizierungen
Ausgangspersönlichkeit	Bei unauffälligen, ausgeglichenen Persönlichkeiten	Bei introvertrierten Persönlichkeiten, die auf eine unbewußte innere Konfliktsituation fixiert sind	Bei extravertierten, primär abnormen Persönlichkeiten, die agierend ihr Konfliktfeld in die äußere Umwelt projizieren

Beurteilung des Schweregrades

Er hängt ab von
- Symptomen:
  - Art und Dauer der Symptomatik,
  - Einstellung des Patienten zu den Symptomen,
  - Umgang des Patienten mit den Symptomen,
  - Leiden an den Symptomen;
- sozialer Situation:
  - Modifizierbarkeit der Lebenssituation,
  - Einstellung des Lebenspartners,
  - finanzielle Möglichkeiten;
- biologischen Gegebenheiten:
  - Alter,
  - Intelligenz und Begabungen,
  - körperliche Krankheiten.

Prognostische Kriterien

Art der Symptomatik:
- Alle länger anhaltenden Verhaltensstörungen sind Ausdruck einer schweren Neurose (Perversionen, Süchte).

Krankheitswert der Symptomatik:
- Leise, unauffällige Krankheitserscheinungen (Charaktersymptome) deuten auf eine schwerere, lärmende auf eine leichtere Neurose hin.
- Symptome sind dann schwerer therapierbar, wenn sie das Leben des Kranken bedrohen oder ihn hindern, eine soziale Rolle einzunehmen (Anorexia nervosa, Asthma bronchiale).

Dauer der Symptomatik:
- Je länger sie besteht, desto schwerer ist sie behandelbar („chronisch": länger als 1-1½ Jahre).
  - Versuchungs- und Versagungssituationen immer schwerer erinnerlich;
  - chronifizierende Abwehrhandlungen:
    sekundärer Krankheitsgewinn,
    Rationalisierungen,
    Gewöhnung,
    Finalisierung.

Primordialsymptomatik:
- Bei Persistenz Zeichen einer schweren Neurose.

Einstellung des Patienten zu seinen Symptomen:
- Beharren auf organischer Ursache der Krankheit deutet auf schwere Neurose hin (nicht iatrogene Fixierung!).

Umgang mit der Symptomatik:
- Anstreben eines materiellen Vorzuges mit Hilfe der Symptome (z. B. Rente) weist auf schwere Neurose hin.

Leiden an der Symptomatik:
- Bei Leiden an der irrealen, subjektiven Bedeutung des Symptoms liegt meist eine schwere Neurose vor.

Auslösesituation:
- Bei leichter Versuchungs- oder Versagungssituation liegt eher eine schwere Neurose vor.

Strukturelle Kriterien:
- Art des Leidensgefühls,
- Gestörtheit des Selbstwertgefühls (Kränkbarkeit, Rachetendenzen),
- neurotische Ideologie,
- Ausmaß der illusionären „Riesen"erwartungen,
- Ausmaß der (einer) Ersatzbefriedigung (Alkohol, Tabletten),
- Art der Freizeitgestaltung (schöpferische Möglichkeiten).

Therapierbarkeit der Neurose

Sie hängt ab von
- phänomenalen Faktoren:
  · Symptomatik und soziale Situation,
  · biologische und konstitutionelle Faktoren;
- Möglichkeiten des Patienten:
  · Art der Psychodynamik,
  · neurotischer Struktur;
- Möglichkeiten des Therapeuten:
  · Art der Persönlichkeit,
  · eigene Antinomien;
- Setting:
  · im Liegen/Sitzen,
  · Stundenfrequenz,
  · räumliche Umgebung.

Literatur

Alexander F (1950, dt. 1951) Psychosomatische Medizin. De Gruyter, Berlin
Battegay R (1971) Psychoanalytische Neurosenlehre. Huber, Bern
Binder H (1962) Der psychopathologische Begriff der Neurose. Schweiz Arch Neurol Psychiatr 89: 185-198
Bräutigam W (1978) Reaktionen-Neurosen-Abnorme Persönlichkeiten. Thieme, Stuttgart New York
Brenner C (1967) Grundzüge der Psychoanalyse. Fischer, Frankfurt

Cullen W (1777) First lines of the practice of physick, for the use of students (zit. nach Peters UH, 1984, Wörterbuch der Psychiatrie und medizinischen Psychologie. Urban & Schwarzenberg, München)
Elhardt S (1971) Tiefenpsychologie. Eine Einführung. Kohlhammer, Stuttgart
Engel GL, Schmale AH (1967, dt. 1969) Eine psychoanalytische Theorie der somatischen Störung. Psyche 23: 241
Fenichel O (1977) Psychoanalytische Neurosenlehre. Walter, Olten
Heigl F (1972) Indikation und Prognose in Psychoanalyse und Psychotherapie. Verlag für Medizinische Psychologie, Vandenhoeck & Ruprecht, Göttingen
Hoffmann SO, Hochapfel G (1979) Einführung in die Neurosenlehre und Psychosomatische Medizin. Schattauer, Stuttgart
Laplanche J, Pontalis JB (1986) Das Vokabular der Psychoanalyse. Suhrkamp, Frankfurt
Loch W (1967) Krankheitslehre der Psychoanalyse. Hirzel, Stuttgart
Nunberg H (1959) Neurosenlehre. Huber, Bern
Rohde-Dachser C (1987) Neurosen und Persönlichkeitsstörungen. In: Kisker KP, Freyberger H, Rose HK, Wulff E (Hrsg) Psychiatrie, Psychosomatik, Psychotherapie. Thieme, Stuttgart
Waelder R (1963) Grundlagen der Psychoanalyse. Klett, Stuttgart
Uexküll T von (1969) Funktionelle Syndrome in psychosomatischer Sicht. Wien Klin Wochenschr 81: 391

Hauptneurosenstrukturen

Schizoide Struktur

Zur Genese:
- Störung aus der intentionalen Phase (erste Lebenswochen und -monate);
- für den Säugling wenig Gleichmäßigkeit, Verläßlichkeit, Wärme, Stabilität, Geborgenheit, Zuwendung;
- uneheliche Geburt;
- ablehnende Haltung der Umgebung;
- Heim- oder Klinikkinder;
- Kinder werden nicht in ihrem Wesen bejaht;
- mangelhafte Transformierung von narzißtischer Libido in Objektlibido: die Welt bleibt fern, fremd, unvertraut, unheimlich, wird nicht „begriffen", kann nur aus „sicherer" Distanz erlebt werden.

Positionen des Schizoiden:
- Wachsende Kluft zur Welt: Welt nicht mit Libido besetzt, wird blaß, farblos; innere Bilder und Empfindungen werden wichtiger; Körpergefühl kann Hypochondrie registrieren;
archetypische Bilder tauchen auf, drohen, die Seele zu überschwemmen.
- Der Schizoide kann nur schwer zwischen den Objekten und seinem Ich unterscheiden (Ich-findung setzt Objektfindung voraus);
Unsicherheit, ob er es mit Außen- oder Innenobjekten zu tun hat (setzt sich der Nachbarzug in Bewegung oder der eigene?); dadurch
Förderung der Wahnbildung; eigene Wünsche werden in die Umwelt projiziert: der Wahn wird zur Gewißheit und gibt (trügerischen) Halt; der Wahn tritt an die Stelle der äußeren Realität.

- Aggressive und sexuelle Antriebe sind kalt und urtümlich; durch mangelnden Objektbezug können sich die vitalen Triebe nicht entfalten, werden zurückgestaut – mit großer Explosivkraft; der Schizoide überspringt die Vorstufen der Annäherung, die eine menschliche Beziehung einleiten; erste Sexualpartner sind Dirnen oder masochistische Frauen.
- Schizoide spüren genau ihre eigene Gefährdung und die anderer Menschen; große Sensibilität, deshalb wird Kontakt zu den anderen vermieden; ständiges Mißtrauen gegen sich und andere; Derealisation; Verlust der Selbstidentität (fühlt sich als ein Fremder, Gedanken gehören nicht mehr ihm selber).

Verhaltensweisen/Haltungen des Schizoiden:
- Ausgeprägtes Streben nach Autarkie und Unabhängigkeit,
- Distanziertheit, vornehme Kühle, unpersönlich,
- verletzendes Verhalten, Absonderlichkeiten mit gespreizter Sprache und Gestik,
- Interessen eher sachlich, objektiv betont,
- Beruf: eher abstrakte Bereiche (Kernphysik, Mathematik, Astronomie, Philosophie, Naturwissenschaften), um nicht mit Menschen und Emotionen in Kontakt zu kommen,
- Aufrechterhalten eines Fernkontakts zur Welt,
- Rationalist,
- Zyniker mit „treffenden" Urteilen, selbstüberheblicher Kritiker,
- in Gesellschaft: oft destruktives, zersetzendes Verhalten,
- Variationsbreite von mimosenhafter Empfindlichkeit bis zur Stumpfheit und Abschaltung jeglicher Gefühle (hochdifferenzierte Künstler bis zu primitiven Rohlingen),
- Unfähigkeit, Wünsche zu äußern,
- erzwungene Höflichkeit, um nicht zu verletzen,
- Gefahr des Zurückweichens auf Stufe primitiver Undifferenziertheit,
- Gefahr des Zerfließens,
- kein Gefühl für Abgrenzung vom anderen (Haut als Kontaktorgan, auch als Grenze zwischen Ich und Nicht-Ich spielt eine große Rolle),
- läßt sich nur auf Unverbindliches ein,
- hat sexuelle Verhältnisse, keine Liebesbeziehungen,
- Rückzug auf Onanie oder Perversion,
- geschulte Intuition,
- exakte Beobachtungsgabe, Atmosphäre wird seismographisch erfaßt,
- kann die Gefühle abstellen,
- alles wird reflektiert, nicht erlebt: jedoch sehr brüchig, Kleinigkeiten können stören und zu unangepaßtem Verhalten führen,
- neigt zu Atheismus oder zu abstraktem Gottesbegriff,
- Herrenmoral, Radikalismen,
- Gefühlsbeziehung zu Kindern und Tieren oft möglich, da hier Gefühlsüberlegenheit nicht angetastet wird,
- emotionaler Rückzug in die Natur.

Charakterologische Ausprägungen des Schizoiden:
- *negativ:*
  - Sonderling,
  - der Distanzlose,
  - der Kalte, Distanzierte,
  - der primitive Rohling;
- *positiv:*
  - der feinsinnige Künstler,
  - der Selbständige, Unabhängige,
  - der Sachliche,
  - der Unbestechliche,
  - Wissenschaftler, Mathematiker, Physiker,
  - der Klare,
  - der Vorurteilslose.

Symptomatik des Schizoiden:
- *psychisch:*
  - Klagen über Sinnverlust des Lebens,
  - Isolierung,
  - Selbstmordtendenzen,
  - allgemeines Unvermögen, mit praktischen Dingen zurechtzukommen,
  - Angst vor Durchbruch von kalten Mord-, auch Selbstmordtendenzen,
  - Unfähigkeit, jemanden zu lieben;

  in Grenzfällen:
  - Depersonalisations- und Derealisationserscheinungen,
  - Entfremdung vom eigenen Ich,
  - Gefühl der Leere, Sinnlosigkeit, Langeweile,
  - paranoide Tendenzen,
  - Wahnzustände,
  - Angst vor Psychose;
- *körperlich:*
  - Hautaffektionen aller Art, Ekzeme
  - Störungen der Sinnesorgane:
    Gleichgewichtsstörungen,
    Sensibilitätsstörungen,
    Geruchsstörungen,
    evtl. auch Schielen (bei Kindern),
  - Asthma bronchiale

Spezifische Angstinhalte: Grundhaltung: „Ich kenne keine Angst" (Angst bedroht Autarkiestreben).
- Angst vor Nähe, Kontakt, emotionaler Bezogenheit.
- Durch fehlendes Vertrauen wird jede Hingabetendenz abgewehrt.
- Verleugnung der Sehnsucht nach dem Objekt.
- Leiden an Einsamkeit wird verdrängt.
- Narzißtische Libido wird verstärkt: alle Interessen kreisen um die eigene Person.

Träume:
- eher abstrakt,
- weiße Landschaften,
- kein oder oberflächlicher Personenbezug,
- leere Räume,
- schwarz-weiß/entweder-oder,
- Extremsituationen,
- astronomische Bilder, Betrachten des Weltalls durch Fernrohr,
- Einsamkeit,
- Kontakte über Instrumente (Telefon, Funker),
- kahle Gebirge, keine Wiesen und Blumen,
- träumen sich mit Prothesen,
- Weltuntergangs- und Katastrophenträume.

Diagnoseleitmerkmale beim Schizoiden:
- Kühle,
- Distanz,
- Autarkiestreben,
- großes Unabhängigkeitsbedürfnis,
- Mangel an Intimität und Emotionalität bei großer Sensibilität und Verletzbarkeit,
- tiefes Mißtrauen.

Positive Aspekte der schizoiden Struktur:
- souveräne Selbständigkeit und Unabhängigkeit,
- affektlos-kühle Sachlichkeit,
- kritisch-unbestechliche Einstellung,
- scharfe Beobachtungsgabe,
- keine Gefühlsduselei,
- eigene Meinung,
- unabhängig von Vorurteilen und Dogmen,
- schwer oder nicht zu täuschen.

Zunahme der schizoiden Struktur:
- Auflösung der Geborgenheit in Tradition und Überlieferung,
- Abbau absoluter Normen,
- Zusammenbruch der sittlichen und religiösen Dogmen,
- Angst vor Zerstörung der Umwelt,
- Angst vor Folgen der Anwendung von Atomenergie,
- allgemeine „Verdünnung" elementarer Erlebnisse,
- Entemotionalisierung der Familienbande,
- Entemotionalisierung der Berufstätigkeit,
- weniger Hautkontakt zwischen Mutter und Kind (unhygienisch).

Abwehrformationen:
- Projektion,
- Isolierung,

74 Neurosen

- Rationalisierung,
- Intellektualisierung,
- Regression („in sich selbst zurückkriechen").

Therapeutische Möglichkeiten:
- Urvertrauen nachholen,
- Objektbeziehungen wachsen lassen,
- kein Zeitdruck: Kontakt muß langsam wachsen,
- nicht zu viel aktiven Kontakt anbieten, Patienten ziehen sich sonst leicht wieder zurück,
- Gefahr der (negativen) Gegenübertragung sehr groß, weil Schizoide mit ihrer scharfen Beobachtungsgabe und Sensibilität schnell die Schwächen des Therapeuten aufdecken können.

Fallbeispiel für überwiegend schizoide Struktur

Der 27jährige Student der Fachschule für Sozialwesen fühlt sich schon immer krank; verstärkt habe sich alles seit etwa 2 Jahren. „Ich habe nachts immer so Schweißausbrüche und so schwere Träume, schwere Vorstellungen im Dunkeln; da muß ich aufspringen, renne im Zimmer hin und her; gottlob wohne ich im Parterre, sonst könnte es gefährlich sein. Da bricht dann die Decke über mir zusammen, alles fällt auf mich; dann kommt ein Lastwagen auf mich zu. Auch höre ich Menschen, die ich dann nicht verstehe, die sich aber über mich unterhalten. Und ich weiß nicht – es passiert gleich etwas mit mir. Bei der Angst habe ich dann auch erhebliches Herzklopfen; manchmal habe ich Flimmern vor den Augen und Schwindelgefühle. Wenn ich länger mit Bekannten zusammen bin, dann fühle ich mich plötzlich so massiv unwohl, daß ich davonrennen könnte. Das alles geht eigentlich schon seit der Kindheit. Da habe ich nachts schon Angst gehabt. Das Licht mußte immer brennen bleiben. In der letzten Zeit ist es schlimmer geworden; deshalb bin ich zum Arzt gegangen."
Der Patient ist unehelich geboren; die Eltern heirateten 9 Jahre später, als der Bruder auf die Welt kam. Im 1. Lebensjahr sei er bei einer Art Pflegemutter gewesen, weil die Mutter im Geschäft habe arbeiten müssen. Der Vater (37 Jahre älter) sei selbständiger Kunstmaler, eigentlich weich, habe aber auch hart zuschlagen können. Dominierend sei eigentlich die Mutter (30 Jahre älter) gewesen. Sie habe alles in der Hand gehabt; zu ihr habe er sich immer hingezogen gefühlt. Er habe viel Zeit bei einer älteren Freundin der Mutter verbracht; die habe ihm alles gegeben. Die sei vor 2 Jahren gestorben; das bewege ihn noch heute. Spielkameraden habe er keine gehabt, er sei meist allein gewesen. Mit 15 Jahren sei er aus dem Elternhaus auf ein Internat gegangen, habe dann Verlagsbuchhändler gelernt, was ihn jedoch gelangweilt habe. Nach dem Zivildienst habe er seine Frau kennengelernt, die er jetzt geheiratet habe; sie studiere Medizin. Seither interessiere er sich für soziale Probleme. Jetzt arbeite er schon bei der Rehabilitation Geistesgestörter mit, wo er sich fast übernehme. Er habe den Wunsch, viel allein zu sein. Er liebe sie aber, brauche sie auch. Er selber sei ordentlich bis „pingelig", perfekt müsse alles sein. Er könne schwer Kontakte halten, sei empfindlich, schäme sich leicht, müsse

immer geben, brauche auch Liebe, sei aber am liebsten allein und gebe sich seinen Phantasien hin. Er höre gern Musik, male gern.
Im Vordergrund der Problematik stehen die Kontaktstörungen des Patienten, die mit mangelndem Urvertrauen in Zusammenhang gebracht werden können. Sie gehen auf Störungen der intentionalen Phase der frühen Kindheit zurück. Als Kind unerwünscht, wurde er einer anderen Frau überlassen, die sich z. T. überprotektiv um ihn kümmerte. Als diese vor 2 Jahren starb, verschlechterte sich der Zustand des Patienten. Zusätzlich dürfte die Beziehung zu seiner Frau einwirken, die ihm nur Zuwendung und Liebe gibt, „wenn sie dafür Zeit hat" – eine Parallelsituation zur mütterlichen Zuwendung. Seine Phantasien mit inneren, archaischen Bildern geben ihm eine „sichere" Rückzugsmöglichkeit in eine „heile Welt", bedrohen jedoch seine Realitätswahrnehmung. Der Wunsch nach Nähe ist deutlich sichtbar, eine adäquate Annäherung an den Partner ist jedoch nur schwer möglich. Projektive Mechanismen mit dem sozialen Engagement halten die aggressive und sexuelle Problematik – die sich z. T. stark und „kalt" äußert – noch weitgehend in Schach.

Depressive Struktur

Zur Genese: 3 Ansätze: oral, anal, motorisch-aggressiv.
- orale Phase:
  · Kind zu kurz gekommen,
  · Tod der Mutter,
  · mangelhafte Ernährung,
  · mangelnde Zuwendung,
  · Feindseligkeit,
  Ernährungsmangel und emotionale Entbehrungen: plötzliches Abbrechen des Stillaktes (Zahnen), empfunden als Liebesentzug;
- anale Phase:
  · zu frühe und dressurhafte Reinlichkeitserziehung:
  · Kind soll mehr hergeben als es kann,
  · erzwungene Gefügigkeit,
  · meist keine Trotzphase;
- motorisch-aggressiv:
  · aus Angst vor Objekt-Verlust kein Auf-den-anderen-zugehen,
  · brav, still, traurig, wenig unternehmungslustig bzw. spielfreudig,
  · „Nesthäkchen", „Mutterkinder";
- Dynamik nach außen fehlt, tobt sich nach innen aus,
- Entwicklung eines strengen Über-Ich,
- ständiger Kampf zwischen Ich und Über-Ich,
- Forderungen des Über-Ich unerfüllbar,
- permanente Schuldgefühle.

Positionen des Depressiven:

- Im rechten Moment kann nicht adäquat zugegriffen werden;
  Chancen werden nicht wahrgenommen; Unentschlossenheit;
  man kann sich nichts herausnehmen.
- Sich-überfordern-lassen:
  (Frauen:) bei kleinem Geschenk sich hingeben müssen;
  Gegenstände können Forderungen stellen: Bücher *wollen* gelesen werden, schönes Wetter *verlangt* einen Spaziergang.
- Enttäuschungsprophylaxe:
  Reize werden nicht wahrgenommen, nicht beantwortet („Saure-Trauben-Politik");
  die Welt wird freud- und farblos;
  man wird blind für positive Möglichkeiten.
- Gestaute Wünsche werden so übermächtig, daß sie sekundär auf die Umwelt projiziert werden; dadurch erscheint die Umwelt fordernd;
  Hypertrophie der Hingabeseite;
  nicht Nein-sagen-können;
  keine Möglichkeit, selber zu fordern.
- Gefahr der Katastrophe (Suizid) bei Zurückziehen des Partners.

Verhaltensweisen/Haltungen des Depressiven:

- Unterschätzt in passiver Zurückhaltung und Bescheidenheit seine Chancen und Möglichkeiten,
- läßt sich leicht überfordern,
- kann selber keine Forderungen stellen,
- vermeidet aggressive Selbstbehauptung,
- geht Auseinandersetzungen durch Rückzug aus dem Wege,
- Mangel an Selbstvertrauen und positivem Selbstwertgefühl,
- keine Initiative,
- bleibt in Abhängigkeit, sucht sie geradezu,
- sucht Nähe eines anderen, klammert sich an,
- fühlt sich in Gruppensituationen meist nicht wohl,
- strahlt Wärme aus, hat Gemüt,
- stets auf der Suche nach Geborgenheit,
- Angst, allein gelassen zu werden,
- Angst vor Objektverlust,
- Angst vor Verlust der Liebe des Objekts, Trennungsangst,
- alle Impulse der Ich-Werdung werden vermieden,
- Selbständigkeit wird gefürchtet,
- braucht das Du,
- hat Einfühlungsvermögen,
- Anpassung, Gefügigkeit überwertig entwickelt,
- altruistische Eigenschaften: Mitleid, Verzicht, Selbstlosigkeit, Aufopferung,
- verborgen: Riesenansprüche an den Partner: Passivseite und Anpassung werden zur reaktiven Strategie,
- Partner repräsentiert Mutterfigur,
- je mehr Verwöhnung, desto mehr Riesenerwartungen und Bequemlichkeiten,

- überwertiges Wuchern passiv-rezeptiver Wünsche,
- Suchtgefahr: verwöhnende Mutter wird durch Suchtmittel ersetzt,
- Erlösungssehnsüchte, neurotische Religiosität (Jenseits als versprochenes Paradies),
- Rückzug auf Tagträumereien, (Onanie),
- Asket, Dulder, Träumer, Spießer, Pechvogel, Büßer mit viel Selbstmitleid,
- Onanie und Tagträumerei als Lustgewinn statt erlebter Lebensfreude,
- nicht geglückter Verzicht erzeugt Gram, Trauer, Resignation, Ressentiment, Neid, Mißgunst, Nörgelei,
- Neid wird aber nicht voll erlebt,
- auslösend: Aufhören einer masochistischen Objektbeziehung,
- Verlust eines Objekts bewirkt ein Zurückziehen der Libido auf das Selbst: durch Identifikation entgeht man scheinbar dem Objektverlust; frei gewordene Libido wird nicht auf ein neues Objekt gerichtet.

Charakterologische Ausprägungen des Depressiven:
- *negativ:*
    · Pechvogel,
    · Spießer,
    · Träumer,
    · der Resignierte,
    · der Neidische,
    · der Nörgler,
    · der Kritikaster;
- *positiv:*
    · Asket,
    · Dulder,
    · Altruist,
    · der Anhängliche,
    · der Gefühlswarme,
    · der Fromme,
    · der zum Verzicht Bereite,
    · der Hilfsbereite,
    · der Humorvolle.

Symptomatik des Depressiven:
- *psychisch:*
    · Hoffnungslosigkeit und Verzweiflung als Grundstimmung,
    · Mattigkeit, Morgenmüdigkeit, Selbstanklagen,
    · Sinnlosigkeit des Lebens,
    · Langeweile.
- *körperlich:*
    · Vagotonus erhöht,
    · vitale Lebensimpulse liegen darnieder,
    · Schlafstörungen,
    · Appetitlosigkeit oder Freßsucht,
    · sexuelle Apathie (bis zur Impotenz),

- psychosomatische Störungen im oralen Bereich:
  Anginen,
  Schluckstörungen,
  chronische Gastritiden,
  Geschwüre am Magenausgang und Zwölffingerdarm,
  Fettsucht,
  Magersucht.

Spezifische Angstinhalte:
- Trennungsangst,
- Verlustangst gegenüber Dingen und Menschen.

Träume:
- haben Erwartungscharakter,
- Bilder oraler Thematik: Gasthäuser, Warenhäuser, Milchstuben, Mutterfiguren,
- ausgeprägte orale Wünsche: Schlaraffenland, Lottogewinn,
- Depressive kommen in ihren Träumen selbst oft zu kurz;
- auch:
  · Aschenputtelträume,
  · Lehrer,
  · Respektpersonen;
- Essen und Trinken im Vordergrund,
- Zähne, Hände (kaptativer Anteil),
- schmutzige Hände (Schuldgefühle),
- amputierte Beine (nicht selbständig sein können),
- Träume von Frauen, die sich anbieten, von Brüsten,
- hoffnungslose Tantalus-Situationen (zugreifen, aber es ist nichts da).

Diagnoseleitmerkmale beim Depressiven:
- Sinn- und Hoffnungslosigkeit,
- Selbstanklagen,
- Anklammerungstendenzen,
- Objektabhängigkeit,
- Darniederliegen vitaler Lebensimpulse,
- Morgenmüdigkeit.

Positive Aspekte der depressiven Struktur:
- sich in andere einfühlen können, sich ihrer annehmen können,
- fürsorglich-hilfsbereite Einstellung,
- geduldiges Wartenkönnen,
- relativ wenig Egoismus,
- schlicht, anspruchslos,
- anhänglich in Gefühlsbeziehungen,
- Fähigkeit, Humor als gesundes Gegengewicht zu entwickeln,
- Gläubigkeit, Lebensfrömmigkeit,
- Fähigkeit zum Verzicht ohne Bitterkeit,
- leichte Anpassung an harte Lebensbedingungen.

Abwehrformationen:
- Identifikation,
- Introjektion,
- Verdrängung,
- Regression,
- Projektion.

Therapeutische Möglichkeiten:
- Nachentfaltung der 3 Impulse:
  · Zugreifen,
  · Verweigern,
  · Sichdurchsetzen;
- Neid, Haß, Aggressionen müssen frei werden,
- schwerstes Hindernis: die Lust zu leiden, zu opfern, weil ethisch hoch bewertet;
- der Depressive muß lernen, Subjekt zu sein.

Differentialdiagnose der Depression:
- *Somatogene Depression:*
  nachgewiesene organische Störung (z. B. Depression nach Hirntrauma, bei Tumor);
- *depressive Psychose („endogene Depression"):*
  somatische Faktoren werden angenommen; häufig psychische Auslöser (nach Hysterektomie, nach Umzug usw.);
- *neurotische Depression*
  Mehrzahl der Fälle; psychische Faktoren mit Reaktualisierung infantiler Konflikte;
- *reaktive Depression:*
  Reaktion auf äußere Belastung.

Fallbeispiel für überwiegend depressive Struktur

Die 1959 geborene Patientin ist angenehm, aber unauffällig gekleidet, wirkt insgesamt recht kindlich, teils herzlich-anbiedernd. Hinter einer Fassade von Pseudosicherheit verbirgt sich Unselbständigkeit, fast Hoffnungslosigkeit. Sie kommt in die psychotherapeutische Sprechstunde, weil sie seit Jahren Magenbeschwerden hat. „Ich habe Angst, weil ich nicht weiß, was das sein könnte, mal geht es mir gut, dann bin ich wieder am Boden zerstört." Wechselnd Durchfall und Verstopfung. Primordialsymptomatik: Bettnässen, Nägelkauen (bis heute).
Die Patientin hat eine 4 Jahre ältere Schwester und einen 5 Jahre jüngeren Bruder. Sie habe eigentlich schon immer isoliert gelebt, habe ein Zimmer im Keller gehabt, habe sich schon zu Hause aus allen Streitigkeiten herausgehalten, habe sich dann gleich isoliert. Sie sei aber sehr beliebt, auch „Vaters Liebling" gewesen. Der Vater (32 Jahre älter) sei kaufmännischer Angestellter, sehr jähzornig. Als die Patientin mit 18 in einer Gruppe wegfuhr, habe er sie zum Gynäkologen gebracht mit der Frage nach der Empfängnisverhütung; als sie zurückgekehrt sei, habe er in ihre Scheide gefaßt, um zu sehen, ob sie noch Jungfrau sei. Mutter (31 Jahre älter) hing

sehr an den Kindern, habe die Betroffene aber als Mädchen nicht akzeptiert, es habe nie eine offene Herzlichkeit, Vertrauen zu den Eltern gegeben, auch wenig Zärtlichkeiten, statt dessen aber viele Zwänge. Ein besonderes Problem sei für sie (gewesen), daß ihre Schwester immer besser gekleidet gewesen sei, sie habe deren Sachen auftragen müssen; der Schwester sei viel erlaubt worden.

Bis vor etwa 2 Jahren habe sie einen 40jährigen Freund gehabt, der wie ein Ersatzvater gewesen sei. „Der konnte Konflikte lösen, zu dem konnte ich gehen, mit ihm reden. Bei dem habe ich mich total wohl gefühlt. Die Eltern sind jetzt mit ihm befreundet." Aber dann sei es auseinandergegangen; seither verstehe sie sich mit dem Vater nicht mehr.

Die Patientin ist in Ausbildung zur Krankenschwester. Die Schwierigkeiten, die sich durch das wenig empathische häusliche Milieu ergeben haben, zeigen sich in der Primordialsymptomatik wie in den organischen Beschwerden und dem Gefühl von Angst und Unsicherheit. Die Patientin hängt sich an andere Menschen, fand in ihrem väterlichen Freund die tiefste Zuneigung und wurde schwer enttäuscht, als die Beziehung auseinander ging und sie damit nicht nur den Freund, sondern auch ihre eigene Familie, insbesondere den Vater verlor. In ihrem Erleben haben ihr die Eltern den Freund „weggenommen". Neben der Besitz- und Versorgungsthematik werden ödipale und inzestuöse Wünsche, die hochambivalent erlebt werden, angesprochen. Vertrauen, Herzlichkeit, Offenheit gab es in der Familie nicht, alles Kreative und Kreatürliche wurde unterbunden. Die Patientin kann sich in bezug auf ihren Freund den Eltern gegenüber nicht durchsetzen. Sie läßt sich in jeder Weise überfordern und gibt sich einem Beruf hin, wo sie hoffen kann, daß ihr eigenes soziales Defizit in der Fürsorge für andere ausgeglichen wird.

Zwanghafte Struktur

Zur Genese:
- Ansatz in der oralen Phase mit Hemmungen im oral-kaptativen Bereich →in der anal-retentiven Phase wird zurückgehalten, getrotzt (Geiz, Pedanterie, frühe Willenskontrolle);
- in der motorisch-aggressiven Phase: das aggressive Sichbehaupten gilt als böse (pedantische Ordnung im Elternhaus); Angst vor Liebesverlust bewirkt Vermeidung von entsprechenden Impulsen: Beherrschung; starkes Über-Ich;
- in der phallischen Phase: Abwehr sexueller Impulse aus Kastrations-, Über-Ich- und Gewissensangst;
- anal-sadistische, anal-aggressive und sexuelle Impulse sind blockiert.

Positionen des Zwanghaften:
- 3 Phasen sind zu unterscheiden:
  - dynamische Impulse werden gestoppt →
  - Weltunvertrautheit; Sicherungsstreben →
  - Schuldgefühle, schlechtes Gewissen (z.T. mit Haßüberkompensierung (gefällte Entscheidungen erhalten Ewigkeitswert).
- Angst vor Substanzverlust (bei Schenken, Hergeben; Geiz, Arbeitsstörungen, kein Genießenkönnen; Zweifel am Wert der eigenen Produkte).

- Alles Triebhafte und Animalische wird gefürchtet (Infektionsangst, übertriebene Hygiene, häufiges Händewaschen; auf Selbstbefriedigung regredieren: auch das kann schmutzig sein →Waschzwang, „verkappte" Onanie).
- Angst vor der Aggression: trotziges Rechthabenwollen statt gesunder Zornausbrüche;
Sarkasmus; Ironie; auch gefügiges Nachgeben.
Der Zwanghafte wird nie ein Rotlicht überfahren, aber immer seine Vorfahrt erzwingen. Zwangsgrübeln („was steckt dahinter?" - anal);
Erstellen einer absoluten Ordnung.

Verhaltensweisen/Haltungen des Zwanghaften:
- Atmosphäre von Zwang, Beherrschung, Kontrolle, Gesetz,
- keine Spontaneität, keine Lebendigkeit,
- wirkt gebremst, starr, unelastisch, gedrosselt, prinzipienhaft,
- zögert oft lange Handlungen raus,
- trägt überwertige Verantwortung,
- ernst, humorlos,
- alles Neue bedeutet Gefahr,
- übertriebene Skepsis, Spitzfindigkeit, Haarspalterei,
- typischer Vermeider,
- will alles hundertprozentig machen,
- ist ein wandelndes Über-Ich, mit Schuldgefühlen belastet,
- Moral gilt mehr als Ethik, Takt mehr als Rhythmus,
- hart gegen sich und andere (Introjekte zwanghafter Elterntypen),
- asketisch, fanatisch,
- Sicherungstendenz mit zentripetalem Charakter,
- neigt zum Totstellreflex,
- Zeit und Geld spielen - als Sicherung - eine große Rolle,
- „Was dem Normalen zur Selbstentfaltung dient (Besitz, Geld), ist beim Zwanghaften vollgültiger Lebensersatz";
- betont konventionell,
- „man"-Typen,
- Kehrseite des „man": Faszination von Intimitäten (Dirnenwesen, Perversionen, Nacktkultur),
- Erleben zum Partner: als Über- oder Unterlegener, nicht als Gleichgestellter,
- Ehe als Vertrag mit festen Bindungen, kein Eigenleben mehr,
- erstarrte Bindungen,
- ständiger Machtkampf in zwischenmenschlichen Beziehungen,
- ewiger Kampf zwischen Über-Ich und Es führt zu rebellischen Zügen: Jähzorn bei geringen Anlässen

Symptomatik des Zwanghaften:
- *psychisch:*
  · Zwangsideen, Zwangsvorstellungen - werden als Ich-fremd empfunden,
  · Unfähigkeit zur Entscheidung,
  · zweifeln an allem, auch an sich selbst,
  · Wasch-, Zähl-, Grübel-, Versicherungszwang,

- Probleme im zwischenmenschlichen Bereich,
- Hingabestörungen,
- Konzentrationsstörungen;

körperlich:
- Stottern,
- Gliederzittern,
- Tics aller Art;

- *psychosomatisch:*

unterer Verdauungstrakt:
- Obstipation, Durchfälle,
- Colon irritabile,
- Colitis ulcerosa,
- andere „anale" Krankheiten;

Krankheiten des Bewegungsapparates:
- Gelenkrheumatismus,
- Weichteilrheumatismus,
- Muskelverhärtungen und -verkrampfungen;

Anfallsleiden:
- Epilepsie,

Herz-Kreislauferkrankungen:
- essentielle Hypertonie,
- Migräne,
- psychogener Kopfschmerz;

sexueller Bereich:
- Impotenz,
- Ejaculatio praecox/retarda.

Spezifische Angstinhalte:
- Angst vor der Hingabe,
- Angst vor den lebendigen Impulsen,
- Angst vor Kontakt mit anderen,
- Angst vor der eigenen Vergänglichkeit,
- Angst vor dem Wechsel, dem „stirb und werde",
- Straf- und Vergeltungsangst als Angst vor der Rache des ins Über-Ich introjizierten Objekts.

Träume:
- anale Träume (sitzt auf WC),
- Landschaftsbilder mit Schlamm, Moor, Festungen, Burgen, Stühlen,
- Müllmänner, Straßenfeger, Schuster (arbeitet mit Pech und Leder),
- Farben: braun, schwarz oder betont weiß, steril,
- Bombenangriffe, Vulkanausbrüche, Krieghandlungen,
- Schußwaffen mit Ladehemmungen,
- körperlich: Rücken,
- freie Assoziation erschwert, erinnert sich an Nebensächliches (Therapeut wird um das Wichtigste „beschissen"),
- kein aktiv-aggressiver Zugriff in den Raum,
- Glaube an die Allmacht der Gedanken und Wünsche.

Diagnoseleitmerkmale beim Zwanghaften:
- anale Trias: Sparsamkeit – Ordnung – Aggressionshemmung,
- Zwangsvorstellungen, -handlungen, -ideen,
- überwertige Kontrolliertheit,
- ausgeprägtes Über-Ich.

Positive Aspekte der zwanghaften Struktur:
- verläßlich,
- ordentlich, stabil,
- korrekt,
- verantwortungsbewußt,
- ausdauernd.

Abwehrformationen:
- Ungeschehenmachen,
- Verdrängung,
- Reaktionsbildung,
- Isolierung,
- Verschiebung auf das Kleinste,
- Rationalisierung (Ideologiebildung),
- Sublimierung,
- Regression.

Therapeutische Möglichkeiten:
- Durcharbeiten von Alltagssituationen mit Vermeidungstendenzen,
- Erlebbarmachen anal-aggressiver Impulse,
- Bewußtmachen der Rationalisierungen und Reaktionsbildungen,
- Patient muß lernen auszuprobieren, nachzuvollziehen,
- Haltungsanalyse (gegen starre, steife Körperhaltung),
- Affekte in bezug auf Geld und Zeit bearbeiten,
- Unterstützung der analytischen Arbeit durch körperentspannende Verfahren, durch Sport, Tanz u.ä., um das Körpergefühl erlebbar zu machen,
- Sicherungsstreben bearbeiten,
- Aggressionen gegen den Therapeuten zulassen.

Fallbeispiel für überwiegend zwanghafte Struktur

Der 1940 geborene Drucker kommt wegen seines Errötens „bei völlig nichtigen Anlässen" in die psychotherapeutische Sprechstunde. Er habe „wahnsinnige Minderwertigkeitskomplexe", daß er nichts leiste und auch nichts könne. Er sei dann ganz niedergeschlagen. Schon als Kind habe er starke Dunkelangst gehabt, sei lange Bettnässer gewesen und habe an den Nägeln gekaut. Im körperlichen Bereich habe er Schwierigkeiten mit dem Magen, er sei „Luftschlucker", leide unter Blähungen müsse deshalb aufpassen, was er esse. Er habe auch Schwierigkeiten mit der Wirbelsäule, da klemme sich manchmal ein Wirbel ein. Sein letzter Traum sei gewesen: „Die Zähne sind mir ausgefallen, ich glaube die Vorderzähne."

Er macht auf den Untersucher einen verspannten, verklemmten Eindruck. Er ist überkorrekt gekleidet, alles „sitzt" genau, die Haare sind zu einer Tolle gekämmt und pomadisiert. Er ist peinlich sauber und ordentlich. „Ich bin in allem sehr genau, aber es passieren mir überall Fehler. Alles ist zu Hause richtig aufgeräumt, jedes Teil hat seinen Platz. Wenn Besuch kommt, räume ich schnell alles weg, was die Frau liegen gelassen hat. Ungerechtigkeiten regen mich schnell auf. Ich versuche, nicht zu streiten, da hab' ich Hemmungen. Ich tue es nur wenn ich weiß, daß ich 100%ig Recht habe. Meine Frau sagt, ich sei stur. Ich könnte mich auch niemals gehen lassen. Und dann will meine Frau jetzt ein Kind – da habe ich die größten Bedenken. Auch habe ich nie einen richtigen Freund gehabt, den gibt es wohl nicht, auf den man sich 100%ig verlassen kann." Mit Geld gehe er sparsam um, alles sei genau eingeteilt – „sonst kommt man zu nichts". Auch würde er nur fernsehen, wenn er sich weiterbilden könne, sonst sei es Zeitverschwendung. Es sei immer ein Zwang in ihm, sich weiterzubilden.
Sein Vater – ebenfalls Drucker – sei erst aus dem Krieg gekommen, als er – Einzelkind – 5 Jahre alt gewesen sei. Die Eltern hätten viel Verständnis gehabt. Streitigkeiten habe es nie gegeben. Zärtlichkeiten seien eher verpönt gewesen. So sei er auch nie aufgeklärt worden. „Wenn ich einen Dreier im Zeugnis hatte, schimpfte Vater nicht, zeigte mir nur *seine* Zeugnisse: ‚Wenn du weiterkommen willst, dann mußt du mehr leisten'. Damit hat er auch recht gehabt; er mußte ja auch so viel leisten und arbeiten." Zu Hause sei alles sehr geordnet zugegangen, alles sei blitzblank gewesen, die Mutter habe einen „Putzfimmel" gehabt. Bei Tisch habe er alles aufessen müssen, Anstand sei immer besonders wichtig gewesen, nicht reden beim Essen, stillsitzen waren entscheidende Pflichten. Von dem Patienten geht eine Atmosphäre des Zwanges aus, die er in seinem wenig empathischen, aber überprotektiven Elternhaus erlebt hat. Eine sichere Selbstwertfindung ist ihm nicht geglückt, die kleinsten Fehler oder Mängel treiben ihm die „Röte ins Gesicht". Kontaktstörungen, Störungen im sexuellen Bereich mit der Leistungsproblematik und dem Sich-nicht-fallen-lassen-Können sind die Folge. Der aggressive Bereich wurde durch die starren Regeln erheblich behindert und findet seinen Ausdruck in Störungen des Muskel-Skelett-Apparates.

Hysterische Struktur

Zur Genese:
- Realitätsneugier (sexuelle Neugier) der phallischen Phase nicht entfaltet:
  · Einschränkung der Ich-Funktionen, Skotomisierung,
  · Verdrängung genitaler Regungen,
  · Umgehung des Über-Ich durch körperliche Innervation,
  · Verdrängung realer, unlusterzeugender Erlebnisse;
- die bewußte Findung der Geschlechtsrolle mißlingt:
  · Angst vor Festlegung der eigenen Geschlechtsrolle,
  · man möchte sich alles offenhalten,
  · Kastrationsangst,
  · Über-Ich-, Gewissensangst, Angst, sich festlegen zu müssen und Lebendigkeit zu verlieren;

- Bewältigung des Ödipuskomplexes mißlingt: infantile Ansprüche an die Elternfiguren bleiben bestehen;
- Mangel an gesunder Führung durch die Eltern,
- Mangel an geschlechtsspezifischen Vorbildern,
- chaotische Umwelt,
- Mangel an Orientierungsmöglichkeit und Wahrheit,
- „man hat nichts gelernt",
- Unerfahrenheit im Umgang mit der Welt.

Positionen des Hysterikers:
- „Was ich nicht sehe, ist auch nicht da" (Vogel-Strauß-Politik);
  · starke Wunschbesessenheit;
  · Drang zur sofortigen Befriedigung;
  · kurzer Spannungsbogen.
- Mißachtung von Ursache und Wirkung;
  · Geschicklichkeit, um sich drücken zu können;
  · Schwindeleien;
  · Verabredungen werden nicht eingehalten;
  · Aufgaben werden übernommen, deren Konsequenzen man nicht übersieht;
  · Faszination des Augenblicks, zukunftslos;
  · hat immer Konflikte, alles wird relativiert, bagatellisiert.
- Wunschwelt mit planloser Aktivität; unzentrierter, unkontrollierter Zick-Zack-Kurs.
- Wunschwelt ungeklärt: er sehnt sich und weiß nicht recht nach was.
- Ordnung und Gesetz für eigene Person nicht anerkannt
  · Großzügigkeit auf Kosten anderer;
  · verächtliches Herabschauen auf bürgerliche Menschen;
  · Gefühl der eigenen Wichtigkeit;
  · Ethik und Moral relativiert;
  · lebt emotional, aber punktförmig, schillernd;
  · kein stabiler Ich-Kern;
  · Mangel an Einsicht und Lernfähigkeit;
  · Rollenspiel;
  · eigene Mängel nach außen projiziert („Lebenslüge").
- Krise in der Lebensmitte, wenn man sich über die eigene Unsicherheit nicht mehr hinwegtäuschen kann;
  · Flucht in die Krankheit, Zusammenbruch;
  · Ausweichen in die Sucht.
- Identifikation mit Idolen aller Art;
  · ganze Wunschwelten werden in Freundschaften, in die Ehe getragen; Traum von der „großen Liebe".

Verhaltensweisen/Haltungen des Hysterikers:
- Viele Gegensätze zum Zwanghaften: Ich ohne Fülle – Fülle ohne Ich,
- planlos, unstet, schillernd, rasch wechselnd, bunt, wenig verläßlich, von augenblicklichen Gefühlen geleitet;
- Mangel an Zentriertheit: Fülle ohne Ich,

- Subjektivität: schwaches Über-Ich, mangelhafter Ich-Kern;
- Überwertiges Geltungsbedürfnis:
  - exhibitionistische Schau oder beleidigtes Sich-Zurückziehen
  - großer Beachtungsanspruch,
  - sekundärer Narzißmus,
  - Eitelkeit bis zur Erpressung;
- Zentrifugalität:
  - umweltbezogen,
  - bei Gefahr: Fluchtreflex, Flucht nach vorn;
- Nichtannahme der Realität:
  - unpünktlich, unorientiert bis zur hysterischen Amnesie,
  - Vergangenheit wird umgedeutet, Konflikte verdrängt, Schuld anderen zugeschoben; kein logisches Verhalten; Nixentyp bei Frauen: unreif, jung, infantil, ewige Kinder;
- Mangel an Gefühlsechtheit:
  - sentimental, nicht gefühlstief, alles bleibt an der Oberfläche;
- Konversionsneigung:
  - Körper wird Darsteller der Konflikte: hysterische Ohnmacht, Lähmung (autoplastische Funktion des Hysterikers);
- Rollenspiele:
  - je nach Situation übernimmt Hysteriker eine Rolle, ohne sich damit echt zu identifizieren.

Charakterologische Ausprägungen des Hysterikers:
- *negativ:*
  - Angeber,
  - Intigrant,
  - hysterisch Verlogener,
  - ewiger Backfisch,
  - ewige/r Tochter/Sohn,
  - Dirne, Strichjunge, Sexualprotz,
  - Tratschtante,
  - distanzlos Neugieriger,
  - Voyeur/Voyeuse,
  - Mannweib,
  - Muttersöhnchen;
- *positiv:*
  - der Lebendige, Schillernde,
  - der Risikofreudige, Neugierige,
  - der Optimist.

Symptomatik des Hysterikers:
- *psychisch:*
  - frei flottierende Angst, die lärmend nach Soforthilfe drängt
  - Angstneurosen bis zu Phobien,
  - Sexualneurosen, Perversionen,
  - Lebensschwierigkeiten allgemeiner Art,

- Beziehungsstörungen, Eheschwierigkeiten,
- Arbeitsstörungen,
- Konzentrationsstörungen;
– *körperlich:*
- Lähmungen,
- Störungen der Sinnesorgane,
- Somatisierung der Angst mit Schwitzen, Erröten, Schwindelanfällen, Tachykardien, Atemnot, Erstickungsnot,
- auch Schmerzzustände, Parästhesien, Abasien, Ataxien,
- Hyperventilationstetanie.

Spezifische Angstinhalte:
– Angst vor dem Endgültigen, Unausweichlichen,
– Angst vor der Notwendigkeit, vor allem Festlegenden,
– Freiheit *von* etwas wird als Freiheit *zu* etwas gesucht.

Träume:
– reiche, füllige Träume:
  - farbenreich, viele Menschen, öffentliche Plätze,
  - Urlaub, Reise, viele Zuschauer (Tribünenexhibitionismus),
  - lose Aneinanderreihung von Situationen;
– Flucht- und Angstträume:
  - Schweben, Fliegen (Hysteriker haben keine Erdung),
  - Luftschlösser,
  - intime sexuelle Situationen,
  - Elternfiguren, auch „Traumpartner";
– oft starke Übertragungsträume:
  - mit starken Hingabetendenzen,
  - Kontaktsüchtigkeit mit Bemächtigungstendenz,
  - „Peinlichkeiten" (z. B. nackt in Gesellschaft).

Diagnoseleitmerkmale beim Hysteriker:
– Nichtannahme der Realität mit Rollenspielen,
– überwertiges Geltungsbedürfnis,
– sehr umweltbezogen,
– Konversionsneigung,
– schillernde Gefühlswelt.

Positive Aspekte der hysterischen Struktur:
– Risikofreude,
– immer bereit, sich etwas Neuem zuzuwenden,
– elastisch, plastisch, lebendig, impulsiv, spontan,
– Liebe zum Neubeginn,
– optimistische Grundstimmung,
– beschwingend, suggestiv, nichts wird zu ernst genommen,
– neue Impulse werden gesetzt, es wird etwas in Gang gebracht.

Abwehrformationen:
- Verdrängung (überwiegend),
- Konversion,
- Projektion (der eigenen Schuldgefühle auf einen „Sündenbock").

Therapeutische Möglichkeiten:
- Therapieplan mit klarem (äußerem) Rahmen,
- eindeutige Festlegung der Bedingungen,
- laufende Realitätsprüfung,
- klare Absprache der Zeit- und Geldfragen,
- klare Versagung bei gleichbleibendem Wohlwollen (Patient muß wissen: dem Therapeuten kann ich nicht „den Kopf verdrehen"),
- Ödipussituation muß durchgearbeitet werden,
- Ziel: Aufhebung der zahlreichen Verdrängungen.

Fallbeispiel für überwiegend hysterische Struktur

Die 26jährige Postangestellte wirkt frisch und offen, erscheint flexibel und wandlungsfähig, ist gut bis auffallend gekleidet und hergerichtet, temperamentvoll mit einer verführerischen Komponente. – Sie kommt in die psychotherapeutische Sprechstunde mit Angstzuständen; sie könne nachts nicht schlafen, traue sich nichts mehr zu, könne nicht mehr Straßenbahnfahren. Dann werde sie schwindelig, sei auch schon ohnmächtig geworden. Dabei manchmal Herzklopfen. „Und dann kommt die Angst vor dem Moment, wo ich die Selbständigkeit verliere; allein der Gedanke daran ist schrecklich. Dann kommen noch Magenschmerzen dazu, wenn ich Angst habe, der bläht sich dann so auf. Alles hat mit 23 Jahren begonnen." Seit dem 27. Lebensjahr rezidivierende Nierenbeckenentzündungen.
Aus der Vorgeschichte ist erwähnenswert, daß sie eine „schöne Kindheit" gehabt, meist mit Jungen gespielt habe und auf den Bäumen herumgeklettert sei. Ihre früheste Kindheitserinnerung sei eine „Kissenschlacht mit den Burschen im Haus", als sie 5 Jahre alt war. Sie habe damals Angst in der Dunkelheit gehabt, ihre Mutter habe nicht weggehen können, sie habe dann geschrien. „Dann hat mich Mutter abends mit zum Tanzen mitgenommen. Das war fein. Ich war dann so schön angezogen." Der um 10 Jahre ältere Bruder habe eigentlich die Vaterstelle eingenommen. Der sei dann aus der DDR in den Westen gegangen, habe geheiratet. Sie sei dann gefolgt, um beim Vater zu sein. Mit 13 habe sie erst erfahren, daß sie nicht das Kind des Vaters, sondern ein „Russenkind" sei. „Ich war nicht traurig, denn eigentlich mochte ich Vater nicht." Er habe sich viel rumschubsen lassen, habe dann wieder kommandiert.
„Wenn er mit mir nicht zurechtgekommen ist, dann hat er geheult." Der Vater habe nach der Flucht in den Westen und der Trennung von seiner Frau wieder geheiratet. Die Verbindung zu ihrer „Stiefmutter" und deren Kindern sei nicht gut gewesen; deswegen sei sie mit 14 gleich aus dem Haus gegangen. Der sexuelle Bereich sei tabu gewesen. „Ich bin nicht aufgeklärt worden – mit 14 habe ich noch an den Klapperstorch geglaubt." Die Patientin lebt seit dem 17. Lebensjahr in München, hat bald geheiratet, weil sie schwanger war. Sie verdiene mehr, als ihr

Ehemann als Malergeselle. Sie hätte sich einen „idealeren Partner" vorgestellt. „Heute sagt mir mein Mann nichts mehr, auch nicht im Sexuellen. Früher war er stürmisch, da haben wir uns verstanden. Aber jetzt habe ich furchtbare Schmerzen dabei. Dann trinke ich Alkohol und lasse es über mich ergehen." Wegen dieser Unzufriedenheit habe sie viele andere Männer gehabt. „Aber scheiden lassen will ich mich nicht, weil mein Mann den Sohn haben will."

Die Symptomatik der Patientin brach aus, als sie einen „etwas jüngeren Mann mit idealer Fassade" kennenlernte. Sie hätten sich über längere Zeit immer donnerstags getroffen. Schwärmend sagt sie: „Das war mein Donnerstagsmann." Der habe ihr sehr geholfen. „Daran denke ich heute noch. Und ich mußte immer wieder zurück zu meinem Mann ... Dann bin ich in einen Westernclub gegangen, wo ich Kommandeuse bin. Da gibt es viele Cowboys, vor allem wenn Fasching ist. Aber sonst fühle ich mich so eingeengt und weiß nicht, was ich machen soll."

Die Findung der eigenen Geschlechtsrolle ist bei der Patientin erheblich erschwert. Frühe Verführungssituationen bei mangelhaftem mütterlichen Vorbild, die ambivalente Einstellung zum Vater, der das Haus verließ, als sie 5 Jahre alt war, erschweren die Bildung eines sicheren Selbstwertgefühls. Koketterien, Rollenspiel hat die Patientin früh gelernt und „kommt dadurch an", kann sich jedoch nur schwer adäquat einem Partner zuwenden. Idealisierungen, Schwärmereien bei einer Unentschiedenheit der eigenen Geschlechtsrolle gegenüber weisen u. a. auf eine ödipale Störung hin.

Literatur

Battegay R (1977) Narzißmus und Objektbeziehungen. Huber, Bern
Brenner C (1967) Grundzüge der Psychoanalyse. Fischer, Frankfurt
Dührssen A (1969) Psychogene Erkrankungen bei Kindern und Jugendlichen. Vandenhoeck & Ruprecht (Verlag für Med Psychologie), Göttingen
Elhardt S (1971) Tiefenpsychologie. Eine Einführung. Kohlhammer, Stuttgart
Fenichel O (1945) The psychoanalytic theory of neurosis. Norton, New York (dt. 1983: Psychoanalytische Neurosenlehre. Ullstein, Berlin)
Freud S (1952) Gesammelte Werke, Bd 1-17. Imago, London
Mertens W (1981) Psychoanalyse. Kohlhammer, Stuttgart
Nunberg H (1959) Neurosenlehre. Huber, Bern
Riemann F (1973) Grundformen der Angst. Reinhardt, München
Schultz-Hencke H (1951) Lehrbuch der analytischen Psychotherapie. Thieme, Stuttgart New York

Weitere Persönlichkeitsstörungen

Perversionen

Allgemeines

- In der Neurose ist der Trieb verdrängt, unbewußt, in der Perversion wird er sichtbar. Der Perverse lebt seinen Trieb aus, in Form des Partialtriebes (nach Freud „das Positiv der Neurose");
- Entwicklungsanomalien des Liebes- und Sexualstrebens;
- das Kind ist in bestimmten Phasen „polymorph-pervers";
- Erwachsener an die frühe Entwicklungsphase fixiert oder regrediert;
- normal bei großer Leidenschaft und Hingabe, vorübergehend;
- bei Frühformen wird jede Objektbeziehung vermieden;
- bei späteren Formen Objektbeziehung möglich, jedoch unter der Vorherrschaft eines unreifen Partialtriebes;
- ganzheitliche Störung.

5 Bedingungen:
- bisexuelle Veranlagung des Menschen,
- Umweltfaktoren, spezifisches Verhalten der Eltern und Geschwister,
- phasenbestimmte Einflüsse, milieubedingte Verführung in Stadien, in denen Sexualstreben besonders labil ist,
- Gewöhnung an den speziellen Lustgewinn bei Angst vor reiferer Liebesbetätigung,
- narzißtische Besetzung („ich bin nicht so wie die anderen"), mit ideologischem Überbau.

3 „Mängel" in der Genese:
- keine adäquate Entfaltung des Zärtlichkeitsbedürfnisses (keine Nestwärme),
- Entwicklung und Findung der eigenen Geschlechtsrolle mißlingt,
- keine Entwicklung eines gesunden Narzißmus mit normalem Selbstwertgefühl.

Phasenspezifische Charakteristik (nach Liebesfähigkeit)

1. Intentionale (sensorische) Phase:
  - Fähigkeit zur naiv-ungehemmten, spontanen Triebäußerung,
  - Rücksichtslosigkeit gegen Partner (sich selbst zum Partner nehmen):
    · exzessive Onanie, ohne Phantasie (rein mechanisch),
    · Transvestitentum,
    · Fetischismus,

- Sodomie,
- Nekrophilie,
- Lustmord.

2. *Orale Phase:*
   - Fähigkeit zur gefühlsmäßigen Bindung an den Partner,
   - oraler Partialtrieb dominiert:
     - völlige Abhängigkeit vom Objekt,
     - Partner wird „aufgefressen" (aus Verlustangst),
     - Fellatio, Cunnilingus, Penis als Mutterbrustersatz.

3. *Anale Phase:*
   - Selbstbehauptung und selbstbeherrschte Rücksichtnahme,
   - anal-sadistische/masochistische Perversionen (Libido im aggressiven Partialtrieb „hängengeblieben"):
     - Koprophilie,
     - Sadomasochismus, Autosadismus,
     - Flagellantentum.

4. *Phallische (ödipale) Phase:*
   - Bejahung der eigenen Geschlechtsrolle,
   - phallisch-narzißtische Perversionen:
     - Päderastie (Angst gegenüber Kindern geringer),
     - Exhibitionismus,
     - Voyeurismus,
     - Homosexualität, Lesbiertum.

Homosexualität/Lesbiertum:
- Harte Enttäuschung vom anderen Geschlecht (Versuch des Ausgleichs durch Identifikation); die 3 häufigsten Konstellationen:
- Narzißtische Objektwahl:
  - im Partner wird der verlorene Ich-Anteil gesucht, bleibt an den anderen gebunden,
  - das eigene Ich-Ideal wird beim anderen geliebt;
- invertierter Ödipuskomplex:
  - beim Jungen statt einer Rivalität mit dem Vater eine solche mit der Mutter, zunehmend weibliches Verhalten,
  - beim Mädchen Entwicklung umgekehrt; versucht Sohnersatz zu sein; entgeht dem Penis-Neid, ist jedoch hingabeunfähig.
- Haß überkompensierende Liebe:
  - gleichgeschlechtliche Geschwister schließen sich gegen harte Mutter zusammen: Männerbünde, Gruppen-Ich gegen als gefährlich erlebte Frau,
  - entsprechend bei Mädchen nach dem Motto: wir geben die Unterlegenheit nicht zu; weibliche Rivalität im Kampf um den Mann vermieden

Nach Riemann (1968):
- Partner ist eigentlich eine Frau (als Vorstufe zur heterosexuellen Beziehung möglich),
- Partner entspricht dem eigenen Ideal der Männlichkeit,
- Partner soll so sein wie man selber sein möchte.

Nach Kernberg (1978):
1. Objekt – Selbst (Partner bewundert):
   - genitale, ödipale Faktoren im Vordergrund,
   - sexuelle Unterwerfung unter den gegengeschlechtlichen Elternteil als Abwehr ödipaler Rivalität (das infantile, unterwürfige, ödipale Selbst geht eine Beziehung zum dominierenden, verbietenden Vater ein; Patient schwach, Partner stark).
2. Selbst – Objekt (eigenes infantiles Ich im Partner dominiert):
   - konflikthafte Identifizierung mit dem Bild der Mutter,
   - homosexuelle Objekte werden als Vertretungen des eigenen infantilen Selbst erlebt (Partner schwach, Patient stark).
3. Selbst – Selbst (Größenselbst im Partner bewundert wie das eigene):
   - homosexueller Partner wird „geliebt" als Erweiterung des eigenen pathologischen Größenselbst (Partner sind gleichwertig)

Sadomasochismus:
- Zweithäufigste Perversionsform,
- Umweltkontakt – damit auch sexuelles Empfinden – durch Schläge vermittelt,
- sexuelles Empfinden und Schläge assoziativ verbunden,
- Hingabefähigkeit und Selbstbehauptung verzerrt,
- erheblicher Aggressionsstau,
- Kluft zum Partner,
- Kontakt kann nur durch Aggression erlebt werden,
- Wirkung auf den Partner zeigt, daß man ihm nicht gleichgültig ist,
- Sichquälenlassen Beweis dafür, daß man ihm nicht gleichgültig ist,
- der bewußte Sadist ist immer ein unbewußter Masochist und umgekehrt;
- sadomasochistische Partner sind oft unzertrennlich,
- häufiger: verbaler Sadomasochismus (Ehen; Partner brauchen sich!).

Exhibitionismus und Voyeurismus:
- Stets Distanz zum Partner,
- eigentlich ein Phantasiepartner, darf nicht näher kommen.

Exhibitionismus:
- „Wenn ich mein Glied zeige, zeigt mir auch der andere seines",
- Wunsch nach Widerlegung der Kastrationsangst,
- will demonstrieren, daß er sein Glied noch hat,
- das Schicksal soll beschworen werden, damit er es nicht verliert,
- Vorstellung: auch die Frau ist phallisch,
- Exhibitionist im Grunde scheu und ängstlich,
- gefährlich für Kinder nur bei Vorschädigung,
- wird erst gefährlich durch Reaktion der Umwelt,
- Exhibitionismus nur bei Männern als Perversion,
- bei Frauen durch Mode erlaubt.

Voyeurismus:
- geht auf Phase kindlicher Sexualneugier zurück,
- Fixierung an das Miterleben elterlichen Sexualverkehrs (deshalb Kinder nur bis 2, 3 Jahre im Schlafzimmer schlafen lassen),
- solche Erlebnisse sind mit Wunschphantasien verbunden,
- Identifikation mit einem Partner,
- Voyeur entgeht der Annäherung an eine Frau und der für ihn selbstverständlichen Ablehnung durch sie.

Therapie:
- Heilungschance hängt davon ab, ob der Betroffene echt leidet,
- Schwierigkeit, Lustbetontes aufzugeben (Gegensatz: Neurotiker),
- genaue Prüfung, ob Pervertierte(r) bereit ist zur Introspektion,
- Prognose besser bei Menschen, die zusätzliche Symptome haben,
- mit Ängsten auseinandersetzen!

Literatur

Freud S (1916/17, 1952) Vorlesungen zur Einführung in die Psychoanalyse. Imago, London
Gillespie W (1952) Notes on analysis of sexual perversions. Int J Psychoanal 33: 397–402
Kernberg OF (1978) Borderline-Störungen und pathologischer Narzißmus. Suhrkamp, Frankfurt
Kohut H (1966) Formen und Umformungen des Narzißmus. Psyche (Stuttg) 20: 561–587
Kohut H (1973) Narzißmus. Suhrkamp, Frankfurt
Kuiper PE (1962) Perversionen. Psyche (Stuttg) 16: 497–511
Loch W (1977) Die Krankheitslehre der Psychoanalyse. Hirzel, Stuttgart
Riemann F (1968) Psychoanalyse der Perversionen. Z Psychosom Med 14: 3–15

Charakterneurosen

Definition: Abwehrkonflikt äußert sich nicht in eindeutig isolierbaren Symptomen, sondern in Verhaltensformen, Charakterzügen, in einer pathologischen Organisation der Gesamtpersönlichkeit.
- Ausdruck wird oft sehr ungenau verwendet (bei auffälligen Verhaltensweisen und Beziehungsstörungen zur Umgebung ohne eindeutige Symptomatik).
- „Charakterabwehr" unterscheidet sich vom Symptom durch die relative Integration in das Ich.
- Psychopathologische Struktur mit Infiltration des Ich, die an eine präpsychotische Struktur erinnert.
- Charakteranomalien werden zwischen neurotischen Symptomen und psychotischen Affektionen eingeordnet:
  · diagnostischer Sammeltopf,
  · symptomlose Neurose
- Störungen Ich-synton (Symptome vom Ich nicht als fremd – Ich-dyston – erlebt), Störung vom Ich integriert;
- neurotische Charakterzüge mit bestimmten Haltungen, ohne lärmende Symptome, die Ich-synton erlebt werden (schlechte Voraussetzung für die Behandlung).

Symptomneurosen

Neurotische Symptome werden als Ich-fremd (Ich-dyston) erlebt (gute Voraussetzung für die Behandlung).

Persönlichkeitsstörungen:
- Paranoide Persönlichkeiten (mit starkem Beziehungserleben);
- zyklothyme Persönlichkeiten (mit starken Stimmungsschwankungen),
- schizoide Persönlichkeiten (mit Unterdrückung von Emotionen und Affekten).

Neurosen:
- Hysterischer Charakter,
- depressiver Charakter,
- zwanghafter Charakter.

Asthenische Persönlichkeit:
- Antisoziale/dissoziale Persönlichkeitsstörung (kriminell; fehlende soziale Einsicht; affektive Kälte; Antriebsarmut).

Psychopathie:
- Betonung des genetischen und konstitutionellen Moments;
- Betroffene leiden an ihrer Abnormität oder
- die Gesellschaft leidet an ihrer Abnormität;
- ähnlich der Charakterneurose (subjektives Leiden und zugleich Störung der sozialen Beziehungen),
- Externalisieren aller Konflikte,
- Agieren im sozialen Umfeld;
- der Begriff wird (ähnlich dem der abnormen Persönlichkeit) von Psychoanalytikern wie „Charakterneurose" gebraucht.

Schema der Dissozialität. (Nach Hau 1986 und Rauchfleisch 1981)

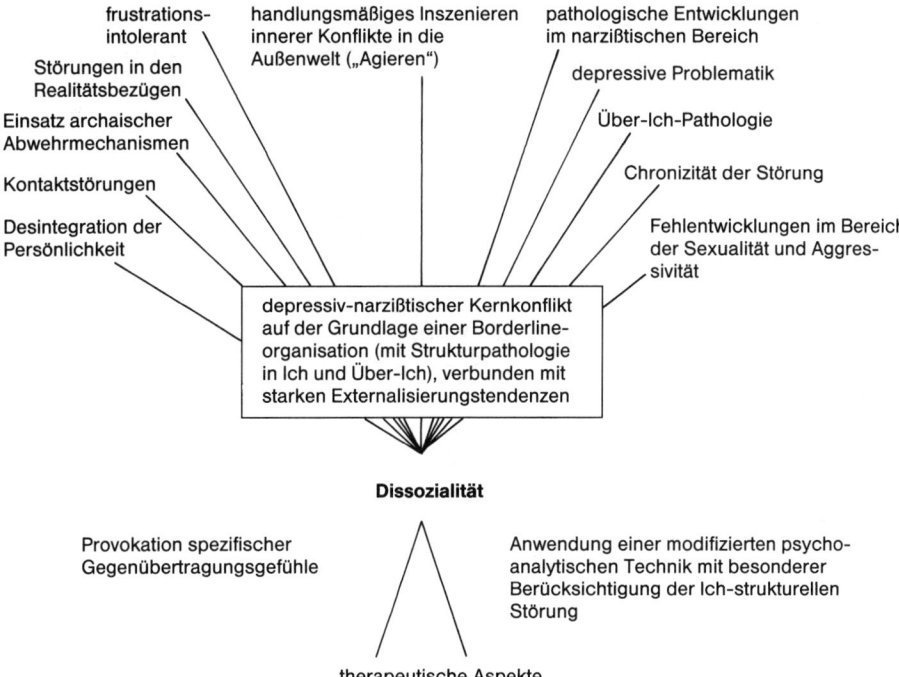

Literatur

Bräutigam W (1978) Reaktionen Neurosen abnorme Persönlichkeiten. Thieme, Stuttgart New York
Hau TF (1986) Psychosomatische Medizin. Verlag für Angewandte Wissenschaften, München
Hoffmann SO (1979) Charakter und Neurose. Suhrkamp, Frankfurt
Hoffmann SO, Hochapfel G (1979) Einführung in die Neurosenlehre und psychosomatische Medizin. Schattauer, Stuttgart
Laplanche J, Pontalis JB (1986) Das Vokabular der Psychoanalyse. Suhrkamp, Frankfurt
Rauchfleisch U (1981) Dissozial. Vandenhoeck & Ruprecht, Göttingen
Reich W (1931) Die charakterologische Überwindung des Ödipuskomplex. Int Z Psychoanal 17: 55–71
Schultz JH (1955) Grundfragen der Neurosenlehre. Thieme, Stuttgart New York
Schultz-Hencke H (1951) Lehrbuch der analytischen Psychotherapie. Thieme, Stuttgart New York

Borderlinestörungen

Definition: Pathogene Persönlichkeitsstruktur, die zwischen psychotischen Störungen und der Neurose eingeordnet werden („Stabilität der Instabilität": die Betroffenen müßten psychotisch dekompensieren, tun es aber nicht).

Symptomatologie (erst 2 oder mehr Symptome, die gleichzeitig auftreten, sind pathognomonisch):
- chronische, frei flottierende Angst,
- multiple Phobien, v. a. körperlicher Art (Errötungsphobien, Angst vor öffentlichen Auftritten, Angeschautwerden), verbunden mit Beschämungsängsten,
- Zwangssymptome; Zwangsgedanken hypochondrischer und paranoiden Inhalts können Ich-synton (wie bei Psychotikern) erlebt werden,
- multiple, bizarre Konversionssymptome (monosymptomatisch, mit der Tendenz zu Körperhalluzinationen oder bizarren Bewegungsabläufen),
- dissoziative Reaktionen (Traum- und Dämmerzustände, schwere Depersonalisationserlebnisse),
- Depressionen (nach Zusammenbruch eines grandiosen Selbstbildes Gefühle von Hilflosigkeit oder ohnmächtiger Wut),
- polymorph-perverse Sexualität (mehrere perverse Züge mit Instabilität von Beziehungen),
- Vorübergehender Verlust der Impulskontrolle (Alkoholismus, Kleptomanie, episodische Freßsucht, Drogendurchbrüche, die nach dem Exzeß als Ich-fremd erlebt werden),
- meist mehrere Beziehungen,
- aggressive Entwertung, Manipulation, Kontrolle,
- dann unterwürfige, gefügige Anpassung,
- häufig diffuse Beschwerden mit
  · Leere,
  · Sinnlosigkeit,
  · Orientierungslosigkeit,
  · Arbeitsstörungen,
  · Kontaktängsten,
  · sexuellen Störungen,
  · Bindungs- und Trennungsängsten
  · Angst vor Autoritätspersonen,
  · (diffusen) psychosomatischen Beschwerden;
- Panneurose mit wahllos und wechselnd auftretenden Symptomen,
- Panangst,
- Pansexualität.

Genese:
- konstitutioneller Defekt tritt eher zurück,
- Selbst-Objekt-Differenzierung nicht zustande gekommen,
- Trennung, Verlust, Kränkung können nur schwer bewältigt werden,
- keine Internalisierung wichtiger Funktionen;
- mangelhafte Realitätsprüfung und -wahrnehmung,
- zwischen Phantasie und Wirklichkeit kann nicht unterschieden werden,
- gute und böse Objekt- und entsprechende Selbstrepräsentanzen können sich nicht zu ganzheitlichen Repräsentanzen verbinden,
- Spaltung: gute und böse Imagines existieren nebeneinander,
- weinerliches Anklammern – zorniges Wegstoßen („sadomasochistischer Clinch"),

- Mütter weisen häufig auch Borderlinezüge auf:
  · können Kind nicht in Autonomie entlassen,
  · sind nur liebevoll, wenn Kind regressiv ihre Nähe sucht;
- entscheidend: Beschneidung der Autonomie mit der Frage der eigenen Existenzberechtigung überhaupt.

Pathodynamik:
- gestörte Beziehungen zur Realität,
- Nähe zwischen Ich und Es,
- Art der Objektbeziehungen,
- unspezifische Manifestation von Ich-Schwäche,
- Verschiebung vom sekundär- zum primärprozeßhaften Denken,
- spezifische Abwehroperationen.

Beziehungsaspekte in der Therapie:
- Entwicklungsdefizite (Signalangst nicht erreicht; keine Abgrenzung anderer Menschen von sich selbst; keine Unterscheidung zwischen Phantasie und Realität) nachholen und beheben (nicht Trieb-Abwehr-Konflikte interpretieren);
- Übertragung geprägt von
  · archaischen Selbst- und Objektimagines,
  · projektiven Verzerrungen (Analytiker wird oft zum schlechten Teilselbst des Analysanden),
  · Elternfigur hat Selbst-Objekt-Charakter („Sie sind so") und nicht Als-ob-Charakter („Sie sind so, als ob ...");
- Therapeut wird eher als symbiotisches Objekt, als narzißtische Funktion eines Selbstobjektes wahrgenommen, der Patient kann deshalb kaum Übertragungsdeutungen annehmen;
- Gegenübertragung geprägt von
  · aggressiven Regungen dem Patienten gegenüber aufgrund des Gefühls von Ohnmacht und Hilflosigkeit,
  · abwertender Reaktion („konstitutioneller Defekt"),
  · Wünschen nach masochistischer Unterwerfung unter die Forderungen des Analysanden (Schuldgefühlen entgehen),
  · Wiederbeleben archaischer Ich-Ängste.

Therapeutische Richtlinien zum Umgang mit Borderlinepatienten:
- *Generell:* Stärkung der Funktionsfähigkeit des Ich,
- den Bedürfnissen des Patienten angepaßtes Setting,
- Therapie im Sitzen,
- Verbesserung des Realitätsbezuges statt Aufforderung zur freien Assoziation;
- Information des Patienten über
  · Art der Erkrankung,
  · technisches Vorgehen des Analytikers,
  · psychodynamische Zusammenhänge;
- Forcierung der positiven Übertragung,
- schnelles Unterbrechen von Schweigepausen
- keine Interpretation der positiven Übertragung;

- zur Deutung:
  · zunächst das wenig konflikthafte Material,
  · zuerst depressives, dann paranoides Material deuten,
  · zuerst masochistische, dann sadistische Tendenzen deuten,
  · wenig genetische Deutungen,
  · Deutungen zur Realitätsverbesserung,
  · Deutungen der pathologischen Abwehr mit ihrer destruktiven Auswirkung auf den Realitätsbezug;
- Mitteilen von Gegenübertragungsgefühlen:
  · Analytiker soll erlebbar werden,
  · Richtigstellen von Verzerrungen, paranoider Wahrnehmung und primitiver Idealisierung des Analytikers;
- Kontrolle des Agierens des Patienten,
- evtl. massive Konfrontation mit verleugneten Inhalten, auch realer Gefahren,
- grundsätzliche Liebesfähigkeit des Patienten bestätigen:
  · Deutungen entsprechender Verzerrungen,
  · Aufzeigen befriedigender Möglichkeiten;
- Entzerren der Bilder von frühen Bezugspersonen:
  · Entteufelung,
  · Entidealisierung.

Fallbeispiel für Borderlinestörung

Die 1945 geborene Erzieherin kommt mit 27 Jahren in die psychotherapeutische Sprechstunde. Sie macht einen ausgesprochen starren, verspannten, dabei glatten Eindruck. Sie spricht kaum, läßt keine Mimik, weder Gestik noch eine Gefühlsäußerung zu. Im Untersucher löst sie fast Erschrecken aus mit der Frage, ob sie wohl psychotisch sei oder ein organisches (zerebrales) Krankheitsbild haben könnte. Sie ist jedoch bewußtseinsklar, geordnet, voll orientiert. Sie ist gut gekleidet und wirkt sehr gepflegt; die weiblichen Formen sind bei sonst guter Figur nicht sehr ausgeprägt.
Sie sei in die Psychotherapie geschickt worden; Beschwerden habe sie eigentlich keine. Langsam gibt sie zu, daß sie erhebliche Schwierigkeiten mit anderen Menschen hat. Sie habe es nie gemocht, wenn jemand seinen Arm um sie lege. Sie habe nie einen Freund, nie intime Beziehungen gehabt. In dem Heim, in dem sie als „Zögling" und später als Praktikantin gewesen sei, habe einmal eine Nonne über ihr Haar gestreift und gefragt, ob sie glücklich sei. „Das konnte ich nicht haben. Dann wurde gelästert, ich sei lesbisch. Alle waren gegen mich. Ich habe mich geniert. Dann habe ich mich in der Schule isoliert und habe mich in mein Zimmer zurückgezogen, habe die Vorhänge zugemacht und bin ins Bett gegangen. Dann bin ich auch weggelaufen und wußte gar nicht mehr, was ich machte. Das ist jetzt auch noch so." Sie rede oft automatisch und unkontrolliert. „Oft denke ich, daß andere Menschen über mich reden. Dann habe ich Angst, es passiert etwas."
Aus der Vorgeschichte ist erwähnenswert, daß sie unehelich geboren ist. Sie sei nur ½ Jahr bei ihrer Mutter gewesen, die sie schon als Baby und ihre um 2 Jahre

ältere Schwester „grün und blau geschlagen" habe. Die Mutter sei dann wegen Kindesmißhandlung ins Zuchthaus gebracht worden. Die Patientin sei dann ins Fürsorgeheim gekommen. Die Nonnen dort seien kalt und herzlos gewesen, hätten geschimpft und geschlagen. Später sei alles Sexuelle verpönt gewesen. Als sie ihre erste Periode bekommen habe, habe man sie auf den Dachboden geschickt und ihr gesagt, dort fände sie alte Zeitungen ... Als sie dann in eine Haushaltsschule gegangen sei, habe sie einen Selbstmordversuch unternommen. Deshalb sei sie zurück ins Fürsorgeheim geschickt worden. Später habe sie dann die Kinderpflegeschule, dann die Fachschule für Sozialpädagogik abgeschlossen.

Die Kontaktstörungen der Patientin traten früh auf und wurden durch die Zuwendung der Nonne im Sinne einer Auslösesituation aktualisiert. Gute und böse Imagines existieren nebeneinander; eine Selbst-Objekt-Differenzierung ist nicht zustande gekommen. Die Realitätsprüfung und -wahrnehmung gelingt nur mangelhaft. Die Frage nach der eigenen Existenzberechtigung muß bereits früh aufgetaucht sein durch das „Borderlineverhalten" der Mutter und den wenig empathischen Umgang im Fürsorgeheim. Folgen dieser Entwicklung sind – neben Kontaktstörungen tieferer Art – Störungen im Bereich des Aggressionserlebens mit unkontrollierten, destruktiven Ausbrüchen oder einem Sichzurücknehmen bis zur Erstarrung, einem Perfektionsdrang zur Vorbeugung gegen eine Fragmentierung, aber auch paranoide Erlebnisverarbeitungen mit vorübergehend wahnhaften Inhalten.

Literatur

Kernberg O (1978) Borderline-Störungen und pathologischer Narzißmus. Suhrkamp, Frankfurt am Main
Kernberg O (1981) Objektbeziehungen und Praxis der Psychoanalyse. Klett-Cotta, Stuttgart
Mahler MS (1975) Die Bedeutung des Loslösungs- und Individuationsprozesses für die Beurteilung von Borderline-Phänomenen. Psyche (Stuttg) 29: 1078–1095
Meissner WW (1978) Theoretical assumptions of concepts of the borderline personality. J Am Psychoanal Assoc 26: 559–598
Mertens W (1981) Psychoanalyse. Kohlhammer, Stuttgart
Rinsley DB (1978) Borderline psychopathology: A review of aetiology, dynamics and treatment. Int Rev Psychoanal 5: 45–54
Rohde-Dachser C (1979) Das Borderline-Syndrom. Huber, Bern

Angst, Phobie

Allgemeines

- Angst und Angstbewältigung Zentralproblem jeder Neurose,
- Ängste des erwachsenen Neurotikers stehen in Zusammenhang mit kindlichen Erlebnissen,
- Angst in der Kindheit besonders ausgeprägt durch
  - Abhängigkeit
  - Hilflosigkeit
  - Angewiesensein auf Bezugspersonen
  - (später) Über-Ich-Ängste,
- Angst ist nötig für die Entwicklung: es sind normale Erlebnisqualitäten von Mensch und Tier,
- krankhaft ist die frei flottierende Angst ohne sichtbaren Anhaltspunkt,
- Angst unter genetischem Gesichtspunkt:
  - Seit wann besteht diese Angst?
  - Bei welcher Situation ist sie entstanden?
  - Zu welch einem Zeitpunkt war sie noch bewußte Furcht?
- Angst unter strukturellem Gesichtspunkt:
  - Wie hat dieser Mensch als Kind versucht, diese Angst zu bewältigen?
  - Welche Abwehrmechanismen hat er aufgebaut?
  - Sind diese reflektorisch geworden?
  - Welche Folgen sind für die Charakterhaltung entstanden?
- Furcht ist auf etwas gerichtet, Angst ist gegenstandslos (Jaspers 1913)

Angstformen (1)

- *Realangst:* objektiv vorhandene Gefahrenquellen – also realistisch.
- *neurotische Angst:*
  - „objektive" Gefahrenquellen fehlen,
  - irrationaler Charakter, aber
  - subjektiv begründet;
  - Angst- und Gefahrenquelle unbewußt.
- *Angstkrankheit* zu verstehen aus:
  a) psychosexueller Entwicklung (Triebtheorie),
  b) Entwicklung des Selbst (Narzißmustheorie).

Angstformen (2)

- "Normale" Angst:
- Signalangst (z. B. Herzklopfen als affektbegleitende Funktionsänderung).
- Objektbezogener Angstanfall gegenüber:
- Partner („Monophobie": Angst vor dem Alleingelassenwerden),
- Tieren (Hunde-, Spinnen-, Schlangenphobie usw.),
- Situationen: Klaustrophobie = Raumangst, Agoraphobie = Platzangst.
- Angst um ein Körperorgan:
- Herzphobie, Karzinophobie usw.
- Überschwemmtwerden mit diffuser Angst:
- „Angstkrankheit", Psychose.

Angstformen (3)

- *Bindungsangst* als depressive Schutzangst (schutzlos ausgeliefert sein);
- *Ansteckungsangst:* eine Kontaktangst (mit den eigenen Triebelementen);
- *Examensangst* als Kastrationsangst;
- *Angst vor Krankheit:* nach innen gewendete Aggression;
- *Angst vor Blamage:* Scham- und Schuldgefühle über verbotene Antriebe;
- *Verarmungsangst:* „Mutter läßt mich verhungern", „Ich habe von der Welt nichts bekommen";
- *existentielle Angst:* frühe Angst (häufig vorkommend), Unfähigkeit zur Hingabe, zum Vertrauenkönnen.

Körperliche Symptome

- *kardial:* unregelmäßiges, rasches oder verstärktes Herzklopfen, Brustschmerzen;
- *vaskulär:* Blässe oder Erröten in Gesicht und Extremitäten, kalte Akren;
- *muskulär:* Zittern, Muskelverspannung, weiche Knie, motorische Unruhe;
- *respiratorisch:* beschleunigte Atmung, Gefühl der Enge, Atemnot, Erstickungsangst;
- *gastrointestinal:* Luftschlucken, Aufstoßen, Kloßgefühl im Hals, Magenschmerzen, Erbrechen, Blähungen, Durchfall;
- *vegetatives Nervensystem:* Schwitzen, weite Pupillen, Harndrang;
- *zentrales Nervensystem:* Kopfschmerzen, Augenflattern, Schwindel, Ohnmachtsgefühl, Schlafstörungen.

Angst, Phobie

Psychophysiologische Zusammenhänge

Angst kann einer körperlichen Krankheit vorausgehen.
- *Katecholaminstoffwechsel*
Noradrenalinfreisetzung über peripher-sympathisches Nervensystem; Adrenalinfreisetzung aus Nebennierenmark.
Ängstliche haben höhere Plasmaadrenalinwerte (bedrohliche Situationen mit unsicherem Ausgang).
Noradrenalinausschüttung bei bedrohlichen, aber vorhersagbaren Situationen, angepaßte Reaktion möglich.
- *Kohlenhydratstoffwechsel*
Blutzuckerspiegel steigt bei Diabetikern in Angstsituationen.
- *Herzfrequenz, Blutdruck, peripherer Gefäßwiderstand*
Chronisch gehemmte, aggressive Triebe→Blutdruckerhöhung; 2 Typen von Herzinfarktpatienten:
a) angepaßt-sozial,
b) dynamisch-impulsiv/ängstlich-aggressiv.
- *Plasmalipide*
Triglyceriderhöhung bei Individuen, die mit ihrer Aggressivität ungehemmter umgehen können; Cholesterinerhöhung bei verdrängten Ängsten.
- *Atmung*
Angstatmung, Hyperventilation, Seufzeratmung.

Angst ist ein Schlüsselbegriff psychophysischer Zusammenhänge, gilt als „leibseelische Verdichtungsstelle" (Gehlen 1956).

Angsttheorien Freuds

1. Theorie („biochemische" Angsttheorie)
   - Unterscheidung von 2 Gruppen von Neurosen:
     a) Aktualneurosen (ohne psychische Ursache, sondern somatisch bedingt):
        · Neurasthenie (direkte affektive Reaktionen),
        · Angstneurose („gestaute Sexualstoffe"),
        · Hypochondrie;
     b) Psycho-Neurosen (mit psychischer Ursache; Ergebnis unbewältigter Triebkonflikte):
        · Angsthysterie (passive Angst),
        · Zwangsneurose (aktive Angst).
   - Angst entsteht aus unabgeführter Libido,
   - Psychoneurosen gehen auf nicht verarbeitete einmalige psychische Traumen zurück;
   - heute: Angst entsteht aus „unterdrücktem Leben";
   - neurotische Angst entsteht dadurch, daß Libido als innere Gefahr empfunden wird;
   - die eigentliche Angststätte ist das Ich.

2. Theorie
- Die Angst macht die Verdrängung und nicht umgekehrt.
- Das Ich schützt sich durch Entwicklung von Signalangst.
- Neurotische Angst: vor dem inneren Objekt; reale Angst: vor dem äußeren Objekt.

Primäre Angstinhalte

Angst vor dem Objektverlust überhaupt:
- frühe Angst (intentionale, orale Phase),
- z. B. bei anaklitischer Depression (Spitz 1967),
- kann beim Säugling zum Tod führen,
- Angst vor dem Verlassenwerden,
- Todesangst.

Angst vor dem Verlust der Liebe des Objektes:
- Objektbeziehung schon aufgebaut,
- spätere Angst,
- versagende Einflüsse in oraler, analer, sexueller Hinsicht spielen eine Rolle,
- das Kind kann sich Zuwendung erzwingen durch Werben und Stören (mit strafenden Folgen).

Kastrationsangst:
- in phallischer Phase,
- besondere Art des Liebesverlustes,
- Entwicklung expansiver Triebe unterdrückt,
- Kind wird „beschnitten" in jeder Weise.

Über-Ich- oder Gewissensangst:
- Angst vor der eigenen inneren Stimme,
- elterliche Motive sind introjiziert,
- Angst als Schuldgefühl erlebt, mit depressiver Stimmung.

Angst vor dem eigenen Masochismus:
- setzt Bildung eines strengen Über-Ich voraus,
- Forderungen des Über-Ich unerfüllbar →Schuldgefühle →starkes Selbstbestrafungsbedürfnis mit lustvollem, masochistischem Leiden,
- Verbrecher aus Schuldgefühl,
- überwertig gewissensstrenge Menschen,
- Angst vor dem eigenen latenten Selbstmord und anderen Schädigungstendenzen (vom Turm in die Tiefe stürzen zu müssen),
- Grenzsituation: kokettieren mit der Angst als „Angstlust".

Angst vor der eigenen Triebstärke:
- Triebimpulse stark, als Ich-fremd erlebt (Ich-Zerfall), besonders in Umbruchphasen (Pubertät).

Angst, Phobie

Allen ist gemeinsam:
- der vitale Triebanspruch,
- die narzißtische Kränkung, Selbstdemütigung,
- das Ich geht in Abwehrstellung, bildet Abwehrmechanismen →neurotische Symptombildung →neurotische Charakterstruktur.

a) Triebtheorie

1. *intentionale Phase*
   - Störung: schizoid,
   - Angst vor Selbsthingabe,
   - Angst vor Objektverlust;
2. *orale Phase*
   - Störung: depressiv,
   - Angst vor Selbstwerdung,
   - Angst vor Liebesverlust durch das Objekt;
3. *anale Phase*
   - Störung: zwanghaft,
   - Angst vor Wandel,
   - Über-Ich- oder Gewissensangst;
4. *phallische Phase*
   - Störung: hysterisch,
   - Angst vor Endgültigkeit,
   - Kastrationsangst: Angst, in jeder Weise „beschnitten" zu werden.

b) Narzißmustheorie

1. *Vernichtungsangst* (früheste Angstform);
2. *Desintegrationsangst*
   - Zeichen schwerer Fragmentierung (bis zum Persönlichkeitszerfall),
   - starker Antriebsverlust,
   - Absinken der Selbstachtung,
   - Gefühl von Sinnlosigkeit;
3. *Angst vor der eigenen Triebstärke*
   - im Rahmen der Desintegrationsangst als Furcht vor dem Zerbrechen des Selbst, nicht als Furcht vor der Stärke des Triebes zu verstehen;
4. *Angst vor dem „Wiederverschlungenwerden"* (Angst vor symbiotischer Vernichtung; klinisch)
   - Angst vor dem Verlust der eigenen Identität (leidenschaftliche Gefühle führen zu einem symbiotischen Verschmelzungszustand);
   - Angst, von anderen eingenommen und verschlungen zu werden, wenn man diesen Menschen entgegenkommt und deren Anforderungen erfüllt;
   - Angst- und Panikreaktionen werden dadurch abgewendet, daß man andere kontrolliert (und damit das Nähe-Distanz-Problem löst).

Symptome von Patienten mit behindertem Individuationsprozeß und mit Angst vor Verlust der omnipotenten Kontrolle über das (als Selbstobjekt erlebte) Objekt:
- Befürchtungen, leidenschaftliche Gefühle führen zu symbiotischem Verschmelzungszustand mit Angst vor Verlust der eigenen Identität;
- Angst vor Verpflichtungen und Anforderungen, die als Schwäche und Eingenommenwerden („Verschlungenwerden") erlebt werden;
- Bedürfnis, über andere verfügen zu können, zur Nähe-Distanz-Kontrolle.

Phobie

Allgemeines:
- Veräußerlichung der Triebgefahr.
- Der Phobiker bleibt mit seinen Triebansprüchen der Außenwelt verpflichtet.
- Regressive Triebansprüche und Inzestobjekte werden verdrängt.
- Unverträglichkeit bestimmter Triebansprüche mit den Forderungen des Über-Ich.
- Dominierende Angst der Phobie ist die Kastrationsangst.
- Regression des Ich auf die phallisch-narzißtische Trieborganisation.
- Situative Angstanfälle sind typisch.

Arten von Phobie

Tierphobie
- ein Tier wird zum Ersatzobjekt einer Eltern- oder Geschwisterfigur
- Konflikt mit äußerer Bezugsperson
  (Freud: Beispiel kleiner Hans: das eigentliche Angstobjekt (Vater) wird verdrängt; der Trieb und die dazugehörige Angst wird auf das Tier (Pferd) verschoben: die Aggressionen gegen das Pferd werden schuldfreier erlebt)
- kollektiv-symbolische Bedeutung des Tieres: Schlange: Verführerin, Phallus-Symbol, Erdtier; Spinne: übermächtige Mutter, die aussaugt, Gift spritzt; Skorpion; usw.

Agoraphobie
- unbewußte Angst vor Versuchung (meist sexueller Art)
- Begleitperson diejenige, vor der man weglaufen möchte, gegen die man Aggressionen hat
- Aggressionen gegen Vater und/oder Mutter gerichtet
- Angst, allein auf die Straße oder öffentliche Plätze zu gehen

Klaustrophobie
- Angst, in engen Räumen oder unter vielen Menschen zu sein (Kaufhäuser, Theater, Hörsaal)
- Nähe anderer Menschen macht Angst, vor denen man nicht ausweichen kann
- Nähe weckt vitale Impulse, die nach Erfüllung drängen
- das Angstmachende ist der Verbindlichkeitsanspruch der eigenen Impulse – bei Nicht-fliehen-können

Bakteriophobie
- Angst vor Ansteckungsgefahren
- grundlegende Angst vor allem Irrationalen, Unberechenbaren
- Mangel an Vertrauen in das Lebendige
- Angst vor den eigenen Kontaktwünschen, vor sexuellen und analen Impulsen (Zwangscharakter)
- vitale Impulse auf das Kleinste verschoben: Bakterien (ihnen kann man nicht ausweichen)

Möglichkeiten der Angstverarbeitung

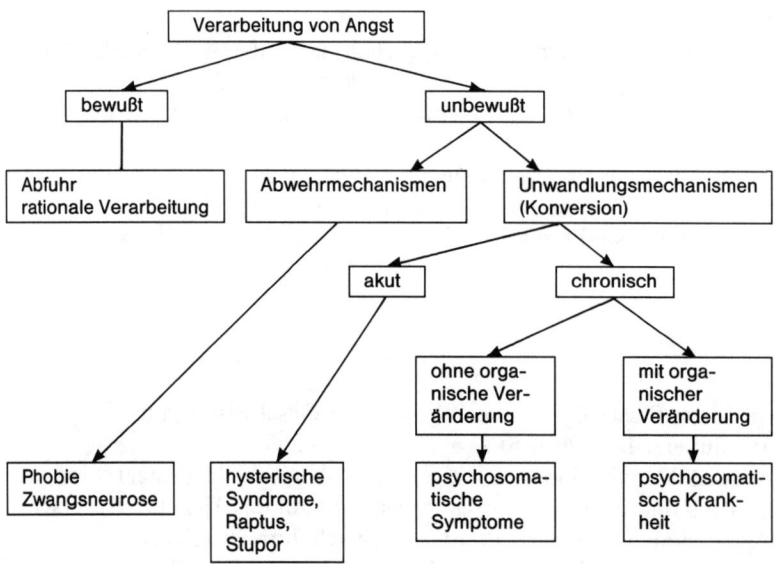

Literatur

Bräutigam W (1978) Reaktionen - Neurosen - abnorme Persönlichkeiten. Thieme, Stuttgart New York
Freud S (1916/17, 1952) Vorlesungen zur Einführung in die Psychoanalyse. Imago, London, GW Bd 11
Freud S (1925-32/1952) Hemmung, Symptom und Angst. GW Bd 14, S 111-205
Gehlen A (1956) Urmensch und Spätkultur. Athenäum, Bonn
Jaspers K (1913) Allgemeine Psychopathologie. Springer, Berlin
Kernberg O (1978) Borderline-Störungen und pathologischer Narzißmus. Suhrkamp, Frankfurt
Klußmann R (1986) Psychosomatische Medizin - eine Übersicht. Springer, Berlin Heidelberg New York Tokyo
Kohut H (1973) Narzißmus. Suhrkamp, Frankfurt
Kuiper PC (1968) Die seelischen Krankheiten des Menschen. Huber, Bern, Klett, Stuttgart
Mertens W (1981) Psychoanalyse. Kohlhammer, Stuttgart
Riemann F (1973) Grundformen der Angst. Reinhardt, München

Spitz R (1967) Vom Säugling zum Kleinkind. Klett, Stuttgart

Triebel A (1984) Der Beitrag der Psychoanalyse zur Erkennung, Therapie und Bewältigung von Angst in der klinischen Versorgung und im psychosozialen Feld. In: Rüger U (Hrsg) Neurotische und reale Angst, Verlag für Medizinische Psychologie, Verlag Vandenhoeck & Ruprecht, Göttingen

Epidemiologie

- Die psychoneurotische und psychosomatische Morbidität in der Allgemeinbevölkerung beträgt 20-30%.
- 18,6% der Bevölkerung sind psychisch krank.
- Ein Drittel der Patienten von Allgemeinärzten leidet an behandlungsbedürftigen psychischen Störungen.
- 15,3% der Bevölkerung sind psychotherapeutisch behandlungsbedürftig.
- Frauen und Angehörige der Unterschichten sind häufiger von psychischen Störungen betroffen.
- Zu Symptomträgern gehören häufiger
  · Menschen mit großer psychosozialer Belastung in der Kindheit,
  · Ledige,
  · getrennt Lebende.
- Zu den frühkindlichen Belastungen zählen besonders
  · uneheliche Geburt,
  · psychopathologische Züge der Eltern,
  · Neurotizität der elterlichen Beziehung,
  · häufige Abwesenheit der Mutter (oder Ersatzperson).
- Bei einem Drittel der stationären Patienten in nichtpsychiatrischen Kliniken ist eine psychologische Diagnostik, evtl. Therapie erforderlich.
- Die Hälfte der stationären Patienten in internistischem Bereich bedürfen einer psychologischen Diagnostik, evtl. Therapie.
- Ein Viertel der Patienten in der Unfallchirurgie bedürfen einer psychologischen Diagnostik, evtl. Therapie.

Literatur

Agosti E, Agosti F, Ernst K (1974) Psychisch Kranke in der Allgemeinpraxis. Eine diagnostische, soziologische und therapeutische Studie. Schweiz Med Wochenschr 104: 322-325
Dilling H, Weyerer S, Castell R (1984) Psychische Erkrankungen in der Bevölkerung. Enke, Stuttgart
Künsebeck HW, Lempa W, Freyberger H (1984) Häufigkeit psychischer Störungen bei nicht psychiatrischen Klinikpatienten. Dtsch Med Wochenschr 109: 1438-1442
Schepank H (1987) Psychogene Erkrankungen der Stadtbevölkerung. Springer, Berlin Heidelberg New York Tokyo
Strotzka H (1969) Kleinburg. Eine sozialpsychiatrische Feldstudie. Österreichischer Bundesverlag, Wien

Verlaufs- und Ergebnisforschung

Schwierigkeiten der Erfolgsbeurteilung der Behandlung:
- Der Begriff „Psychotherapie" wird noch uneinheitlich gebraucht.
- Frage: Wird Heilung, Besserung oder Erhaltung des status quo angestrebt?
- „Spontanheilung"?
- Kann zwischen verschiedenen psychotherapeutischen Behandlungsmaßnahmen unterschieden werden?
- Frage der Interpretation des Ergebnisses, wenn keine positive Veränderung erfolgte.
- Kann eine „erfolgreiche Therapie" immer nachgewiesen werden?
- Welche therapeutischen Ziele wurden angestrebt?
- Welche Maßstäbe wurden bei der Untersuchung angelegt?
- Welche Erwartungen und Interessen bestehen von seiten des Patienten, des Therapeuten, der Gesellschaft?
- Ist eine Veränderung der innerpsychischen Dynamik und/oder ein Symptomwandel eingetreten?
- Sind zusätzlich Medikamente gegeben worden?
- Inwieweit wirkt die Persönlichkeit des zusätzlich behandelnden (Allgemein)arztes eine Rolle?
- Wirken zusätzliche (etwa körperentspannende, psychotherapeutische) Maßnahmen mit?
- Welch eine Rolle spielt die soziale und familiäre Umgebung des Behandelten?

Katamnestische Untersuchungen und Ergebnisse. (Nach Zentralinstitut für psychogene Erkrankungen der AOK Berlin):
- Psychoanalytisch behandelte und unbehandelte Patienten liegen vor der Behandlung 26 Tage im Krankenhaus.
- Nach 5 Jahren lagen die psychoanalytisch Behandelten nurmehr 6 Tage im Jahr stationär.
- Die neurotisch Kranken auf der Warteliste waren nach wie vor 26 Tage im Krankenhaus.
- AOK-Versicherte liegen durchschnittlich 10-11 Tage stationär.

Verlaufs- und Ergebnisforschung

Beobachtungsebenen. (Nach v. Rad u. Senf 1986)

Ebene	Verfahren/Untersuchungsgegenstand
a) Symptomatik:	
- medizinisch,	Körperliche Untersuchung, Symptomrating, Beschwerdebögen. Labordaten. Arbeitsfehltage, Hospitalisierung
- psychologisch,	Subjektive Tests, Fragebögen, Selbstbeurteilungsskalen, projektive Tests, Interviews, inhaltsanalytische Verfahren, Ratingverfahren, Selbst- und Fremdbeobachtung
- soziologisch	Soziografische Daten, Kosten-Nutzen-Analyse
b) Beteiligte:	
- Patient,	Symptomatik; Struktur; Erleben und Verhalten
- Therapeut,	Struktur; Erfahrung; Gegenübertragung; Ausbildung; Technik etc.
- Arzt-Patienten--Konstellation,	Sympathie; Arbeitsbündnis; Krisen; Strukturgemeinsamkeiten bzw. -unterschiede etc.
- Umwelt/Gesellschaft	Sozioökonomischer Status; Bildung; Arbeitsbedingungen; Familie; Kosten-Nutzen-Analyse etc.
c) Daten	
- objektive,	Arbeitsfehl- und Krankentage; Therapiedauer und Stundenzahl; Alter; Gewicht; Labordaten
- subjektive,	Aussagen des Patienten, Therapeuten oder eines unabhängigen Beobachters über den Befund (Selbsteinschätzungen, Therapieretrospektiven, Fremdeinschätzungen durch unabhängige Beurteiler)
- standardisierte,	(Mehr subjektiv oder objektiv): Tests, Fragebögen, Ratings
- interaktionelle	Erfassung der Arzt-Patienten-Beziehung durch Beobachtungen (z. B. Video, Audio, Sprachinhaltsanalyse) oder Verlaufsberichte

Literatur

Beck D, Lambelet L (1972) Resultate der psychoanalytischen Kurztherapie bei 30 psychosomatisch Kranken. Psyche (Stuttg) 26: 265-285

Cremerius J (1962) Die Beurteilung des Behandlungserfolges in der Psychotherapie. Springer, Berlin Heidelberg New York Tokyo

Dührssen A (1972) Analytische Psychotherapie in Theorie, Praxis und Ergebnissen. Verlag für Medizinische Psychologie, Vandenhoeck & Ruprecht, Göttingen

Göllner R, Volk W, Ermann M (1978) Analyse von Behandlungsergebnissen eines zehnjährigen Katamneseprogrammes. In: Beese F (Hrsg) Stationäre Psychotherapie. Verlag für Medizinische Psychologie, Vandenhoeck & Ruprecht, Göttingen

Malan DH (1962) Psychoanalytische Kurztherapie. Eine kritische Untersuchung. Klett, Stuttgart

Meyer AE (1984) Grundlagen, Konzepte und Methoden der Psychotherapieforschung. Verh Dtsch Ges Inn Med 90: 417-422

Rad M von, Senf W (1986) Ergebnisforschung in der psychosomatischen Medizin. In: Uexküll T von (Hrsg) Psychosomatische Medizin. Urban & Schwarzenberg, München

Rohrmeier F (1982) Langzeiterfolge psychosomatischer Therapie. In: Albert D, Pawlik K, Stapf KH, Stroebe W (Hrsg) Lehr- und Forschungstexte Psychologie, Bd 3. Springer, Berlin Heidelberg New York Tokyo

3 Psychotherapie

Wissenschaftsgeschichtliche Übersicht

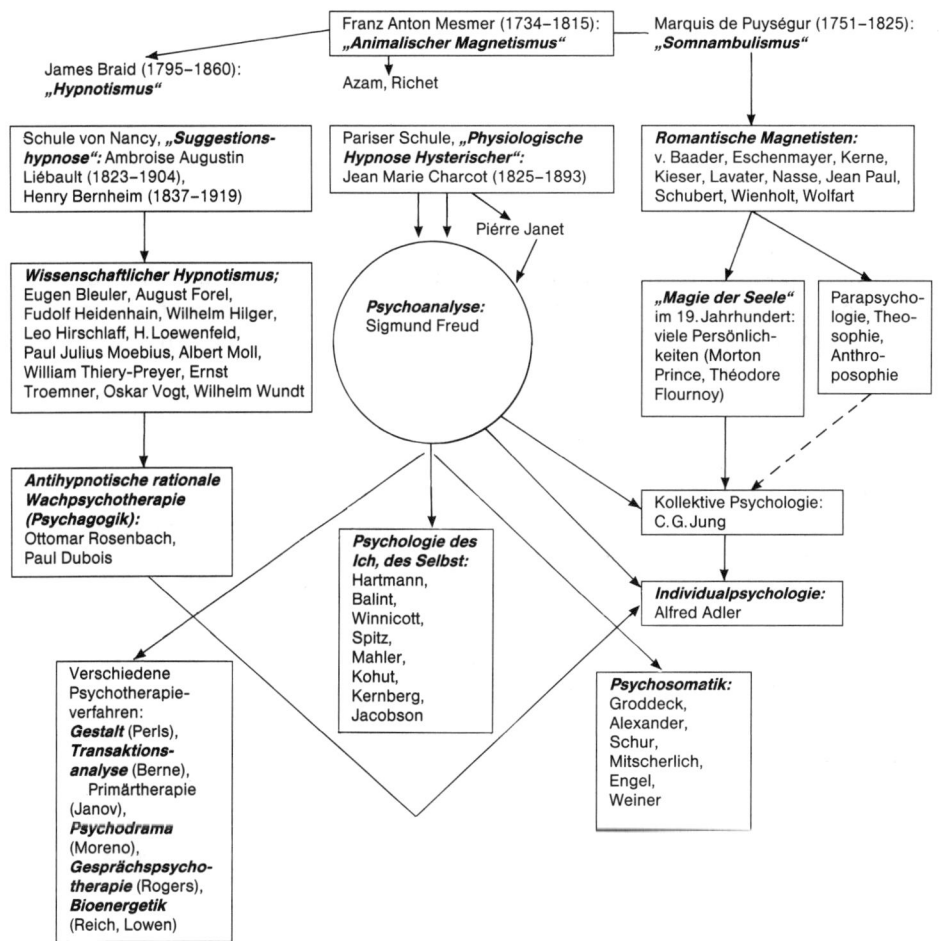

Diagnostisches Vorgehen

Drei Ziele der Diagnostik:

1. Erkennung der Krankheit:
Mittels positiver Kriterien ist zu bestimmen, welche neurotische (und/oder psychosomatische) Störung/Erkrankung vorliegt, wobei der Zusammenhang zwischen krankheitsauslösender Konfliktsituation und der (äußeren) Lebens- und der (inneren) Erlebensgeschichte nachzuweisen ist.

2. Vorschlag zur Therapie:
Die Frage ist zu entscheiden, ob die Erkrankung mit psychotherapeutischen Verfahren zu bessern/zu heilen ist.

3. Aufbau eines Arbeitsbündnisses:
Eine Grundlage der Zusammenarbeit muß geschaffen werden zwischen Arzt/Therapeut und Patient einerseits, zwischen dem Erstuntersucher und weiterbetreuenden und/oder -behandelnden Kolleg(inn)en andererseits.

Diagnoseschema. (Nach Bräutigam 1973)

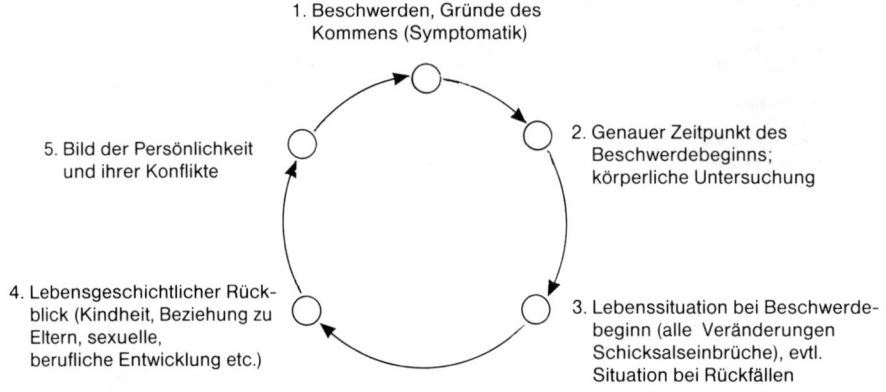

Bei der Untersuchung kommt es darauf an,
- ein tragfähiges Arbeitsbündnis zwischen Arzt und Patient aufzubauen,
- die biographische Situation des Patienten bei Ausbruch der Erkrankung und deren Wirkung auf den Patienten und dessen Umgebung zu erfassen,
- die Beschwerden des Patienten und das zugrundeliegende Krankheitsbild im Sinne einer vorläufigen Diagnose zu erhellen.

Diagnostiziert werden
- Prozesse: Trieb-Abwehr-Abläufe,
- Interaktionen: Subjekt-Objekt-Beziehungen.

Ziel: Herstellen eines verstehbaren Zusammenhangs zwischen der scheinbar unerklärlichen Symptomatik und der äußeren Lebens- und inneren Erlebensgeschichte.

Vorgehen: Herausfinden eines zeitlichen Zusammenhangs zwischen Beginn der Symptomatik und einer biographisch faßbaren, lebenswichtigen Veränderung vor dem Hintergrund
- der Gesamtpersönlichkeit,
- der Lebensbedingungen in der frühen Kindheit,
- der Sozialisationskonflikte,
- der Fixierungen (bis in die Gegenwart),
- einer lebensgeschichtlichen Rückblende.

Fragen hinsichtlich:
1. Beschwerden („Was führt Sie zu mir?"),
2. Zeitpunkt des Beschwerdebeginns („Wann haben Sie das zum erstenmal gehabt?"),
3. Lebenssituation zum Zeitpunkt des Beschwerdebeginns („Was war damals, als das in Ihrem Leben auftrat?" „Was hat sich damals in Ihrem Leben verändert?" „Wer ist in Ihr Leben eingetreten, wer ist daraus verschwunden?"),
4. lebensgeschichtlichen Ereignissen: Kindheit – Jugend – Reifezeit („Erzählen Sie doch noch mehr von sich, aus Ihrer Kindheit." „Erzählen Sie mir von Ihren Eltern!" „Wie waren Sie als Kind?"),
5. Bild der Gesamtpersönlichkeit („Was bedeutete das damals für Sie?" „Wie haben Sie das erlebt?").

Bedingungen für die Anamneseerhebung

- Patienten einen breiten Freiraum geben,
- dem Patienten die Aktivität überlassen,
- den Patienten nicht drängen,
- auf Wünsche nur so weit eingehen, wie es der Realität entspricht,
- viel Zeit einplanen zum Erstinterview,
- keine Störungen (Telefonanrufe) von außen,
- keine Ungeduld, kein Zeitmangel,
- behagliche räumliche Umgebung,
- Gesprächshaltung des Interviewers:
  · keine Kritik, kein Urteil,
  · Versuch, einen Sinn hinter Äußerungen zu finden,
  · frei schwebende Aufmerksamkeit des Untersuchers,
  · jeder Auseinandersetzung mit dem Patienten aus dem Wege gehen,
  · verständnisvolle Zurückhaltung des Untersuchers.

Diagnostische Handlungsschritte der erweiterten Anamnese. (Nach Morgan u. Engel 1977)

Insbesondere bei psychosomatisch Kranken sind die folgenden 9 Schritte empfehlenswert:
1. Der Arzt begrüßt den Patienten, stellt sich vor und erklärt seine Rolle als Arzt.
2. Der Arzt erkundigt sich nach dem augenblicklichen Befinden des Patienten.
3. Der Arzt fordert den Patienten auf, seine Beschwerden zu schildern.
4. Der Arzt analysiert zusammen mit dem Patienten die Symptome entsprechend der Reihenfolge ihres Auftretens, achtet auf ihre Merkmale und Wechselbeziehungen (Lokalisation, Qualität und Intensität der Beschwerden, zeitliche Zusammenhänge, eventuelle Begleitumstände und -symptome und Einflüsse, welche die Beschwerden verstärken oder lindern). Spontane Äußerungen des Patienten zu begleitenden Lebensumständen, früheren Krankheiten, zum Gesundheitszustand der Familie und zu zwischenmenschlichen Beziehungen werden sorgfältig beachtet.
5. Der Arzt versucht, frühere Leiden des Patienten zu verstehen, indem er zurückfragt und an Erwähntes anknüpft.
6. Der Arzt fragt nach dem Gesundheitszustand der Familienmitglieder und deren Beziehungen untereinander.
7. Der Arzt erkundigt sich nach den jetzigen Lebensumständen des Patienten, nach seiner Entwicklung und bezieht sich auf bereits Gesagtes.
8. Der Arzt fragt systematisch nach Beschwerden in jeder Körperregion (Systemübersicht).
9. Der Arzt fragt den Patienten, ob er noch etwas hinzufügen oder fragen möchte und vergewissert sich, daß der Patient ihn verstanden hat. Darüber hinaus erklärt der Arzt dem Patienten die weiteren Untersuchungen.

Zum psychoanalytischen Erstinterview

1. Schwerpunkte beim Patienten:
Zu ergründen ist die Art
  - der triebhaften Grundbedürfnisse,
  - der Konflikte,
  - der Konfliktverarbeitung/-bearbeitung,
  - der sozialen Beziehungen.
2. Inhalt der rezipierten Daten:
  - Was sind die unbewußten Wünsche des Patienten?
  - Wovor hat er Angst?
  - Wenn er Angst hat, was macht er dann?
  - Was macht der Patient mit dem Interviewer?
3. Art der erhobenen Daten:
  a) objektive Informationen (nachprüfbar):
    - persönliche Angaben,
    - biographische Fakten,
    - bestimmte Verhaltensweisen und -eigentümlichkeiten;

b) subjektive Informationen (eindeutig, aber schwer nachprüfbar):
   - gemeinsame Arbeit mit dem Patienten (Arbeitsbündnis),
   - Informationen, die sich aus dem Bedeutungszusammenhang ergeben, wie ihn der Patient sieht, und die ihm bewußt sind;
c) szenische oder situative Evidenz (nicht nachprüfbar):
   Erlebnis der Situation mit all den Gefühlsregungen und Vorstellungsabläufen des Patienten dominiert als solches.

Wichtige Voraussetzungen:
- geübte und disziplinierte Selbsteinschätzung und Selbstbeobachtung des Interviewers (Basis: Selbsterfahrung in Psychoanalyse);
- Untersucher muß die eigenen Reaktionen auf den Patienten und sein Verhalten abschätzen, seine eigene Pathologie gleichsam subtrahieren: „Was macht der Patient mit mir?"

Psychoanalytische Diagnostik. (Nach Hau 1986)

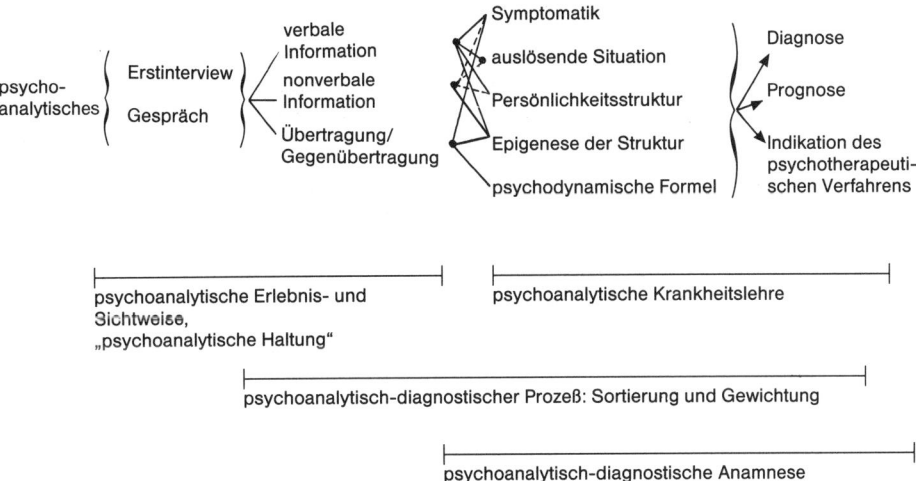

Arten von Patienten, die den Psychotherapeuten aufsuchen

1. Der vorgeschickte oder vorgeschobene Patient:
   - ist eine Art Sündenbock, das eigentliche Krankheitsgeschehen umfaßt eine größere Anzahl von Personen;
   - das soziale Umfeld ist krank.
2. Der anspruchsvolle Patient:
   - fordert bestimmten Arzt, bestimmte Zeit,
   - geringes persönliches Engagement,
   - leichte Kränkbarkeit,
   - ist schwer in eine konstante analytische Behandlung zu bekommen.

3. *Der unergiebige Patient:*
   - farblos, kein Problembewußtsein,
   - Ich-syntone Symptomatik,
   - starr, emotionslos, alexithym,
   - kaum analysierbar.
4. *Der aufgeklärte Patient:*
   - zur Mitarbeit bereit,
   - oft im rational-emotionalen Bereich verhaftet,
   - spürt brachliegende Gefühlswelt,
   - bereit zum Engagement,
   - bietet gute Voraussetzungen für Analyse.

Literatur

Argelander H (1970) Das Erstinterview in der Psychotherapie. Wissenschaftliche Buchgesellschaft, Darmstadt
Balint M, Balint E (1962) Psychotherapeutische Techniken in der Medizin. Klett, Stuttgart
Balint M (1957) Der Arzt, sein Patient und die Krankheit. Klett, Stuttgart
Bräutigam W (1973) Wie erkennt man psychosomatische Krankheiten? Dtsch Ärztebl 4: 206–208
Bräutigam W, Christian P (1981) Psychosomatische Medizin. Thieme, Stuttgart New York
Dührssen A (1972) Analytische Psychotherapie in Theorie, Praxis und Ergebnissen. Verlag für Medizinische Psychologie, Vandenhoeck & Ruprecht, Göttingen
Dührssen A (1986) Die biographische Anamnese unter tiefenpsychologischem Aspekt. Verlag für Medizinische Psychologie, Vandenhoeck & Ruprecht, Göttingen
Hau TF (Hrsg) (1986) Psychosomatische Medizin. Verlag für angewandte Wissenschaften, München
Hoffmann SO, Hochapfel G (1979) Einführung in die Neurosenlehre und Psychosomatische Medizin. Schattauer, Stuttgart
Klußmann R (1986) Psychosomatische Medizin. Eine Übersicht. Springer, Berlin Heidelberg New York Tokyo
Morgan WL, Engel GL (1977) Der klinische Zugang zum Patienten. Anamnese und Körperuntersuchung. Huber, Bern
Thomä H, Kächele H (1986) Lehrbuch der analytischen Therapie. Springer, Berlin Heidelberg New York Tokyo

Hinweise zur Anamneseerhebung

Gliederung:
1. Beschreibung der *Symptomatik* im psychischen, charakterologischen und körperlichen Bereich.
2. Darstellung der inneren und äußeren *Situation des Patienten* bei
   - Beginn der Symptomatik,
   - wesentlicher Verbesserung,
   - wesentlicher Verschlechterung,
   - Symptomwandel.
3. *Persönlichkeitsstruktur* bei Beginn der Erkrankung und zum Zeitpunkt der Untersuchung (Reaktion auf die Symptomatik, Konstitution, Intelligenz, Begabung usw.).
4. *Genetische Faktoren*, die zu dieser Persönlichkeitsstruktur geführt haben (frühkindliche Situation, vermutliche Anlagefaktoren, spätere Entwicklung).
5. *Zusammenfassung und prognostische Beurteilung.*
6. Aufstellung eines *Therapieplanes.*

Zweck: Die erweiterte Anamnese ist andersartig als die übliche klinische: sie stellt keine Einleitung oder Ergänzung eines Untersuchungsverfahrens dar, sondern ist das Untersuchungsverfahren selbst; sie dient
- der Diagnosestellung,
- der ersten prognostischen Orientierung,
- der Differentialindikation psychotherapeutischer Verfahren.

Untersucherverhalten:
- Möglichst passiv bleiben,
- den Patienten mit sparsamen Anregungen viel sprechen lassen,
- ihn aufmerksam beobachten,
- „Abfragetechnik" unbedingt vermeiden.

Anamnestische Fragen

1. *Symptomatik:*
   a) „Was hat Sie zu uns geführt? Worunter leiden Sie? Weswegen haben Sie den Arzt aufgesucht?"
      - Spontane Äußerungen abwarten.
      - Sich ein Bild von den subjektiv quälendsten Symptomen machen.
   b) Welche Symptomatik, über die der Patient spontan berichtet, ist zu beobachten (Tic, Tremor usw.)? Welche sichtbaren Symptome erwähnt er nicht?

c) Zusätzliche Fragen nach
   - Wahrnehmungsstörungen,
   - Stimmungslage,
   - Zwangsvorstellungen, -impulsen, -handlungen,
   - Angst,
   - Merkfähigkeit, Gedächtnis,
   - körperlichen Störungen (Appetit, Stuhlgang, Schlaf, Gewicht, Magen-Darm-/Herzbeschwerden usw.),
   - auffälligem Verhalten, Fehlleistungen.
d) Welche Befunde und Diagnosen liegen vor? Sind noch Ergänzungsuntersuchungen notwendig und zu veranlassen?
e) Frühere körperliche Erkrankungen und Behandlungen?

2. *Konfliktauslösende Situation:*
   a) Beginn der Symptomatik (möglichst genau, besonders im letzten halben Jahr; Lebensalter und Jahr für jede Symptomatik angeben)?
   b) Wie war die damalige Lebenssituation?
      - Familie und Beziehungspersonen (ist jemand gestorben, neu in die Familie gekommen oder in Beziehung zu dem Patienten getreten? Verlobung, Heirat, Kinder, sonstige Veränderungen, Sexualität),
      - Berufssituation (Veränderungen, Pläne, Fehlschläge, Wünsche),
      - Besitzverhältnisse (Erbschaft, Änderung des Einkommens, Ansprüche, Verpflichtungen, Schulden),
      - besondere Erlebnisse (Krieg, Gefangenschaft, Umzug, Flucht, politische Schwierigkeiten).
   c) Charakteristisches Verhalten?
      - Was vergißt der Patient?
      - Was äußert er nicht spontan?
      - Wo verhält er sich auffällig, abartig?
      - Versuchungs- und Versagungssituation in Beziehung bringen mit Erleben, Fehlverhalten und Symptomatik.

3. *Persönlichkeitsstruktur:* Zum prämorbiden Zustand
   a) Wie hat der Patient damals erlebt und sich verhalten?
      - Allgemeines Lebensgefühl, Wünsche, Pläne, Hoffnungen, Religiosität, Freizeit;
      - mitmenschlicher Kontakt, Einordnung, Geselligkeit,
      - dem Besitz gegenüber (im weitesten Sinne),
      - im Bereich des Geltungs- und Aggressionsssstrebens,
      - in bezug auf Liebesfähigkeit und Sexualität.
   b) Was hat sich demgegenüber heute geändert (Verschlechterung, Besserung, Reaktionen auf die Symptomatik)?

Bei a) und b) sind neurosenstrukturelle Zusammenhänge (Bequemlichkeit, Riesenansprüche, -erwartungen, -wünsche, Überkompensationen, Schuldgefühle, Ideologien usw.) besonders zu beachten, auch hinsichtlich der auslösenden Situation.

Beschreibung des Patienten
c) Außer den tiefenpsychologischen Fakten sind zur Beurteilung der Persönlichkeit wichtig:
- Konstitution (evtl. familiäre Belastung),
- äußeres Aussehen (schön, häßlich, durchschnittlich, Größe, Gewicht, Gebrechen usw.),
- Intelligenz (evtl. mit Test zu erfassen),
- besondere geistige und handwerkliche, praktische Begabungen und Mängel,
- Beruf (Ausbildung, Wissen, Können).
d) Wenn nötig Tests:
- Intelligenz,
- Charakter,
- Initialtraum,
- „3 Wünsche",
- „das Liebste" usw.

4. *Genese:* Zur Entwicklung der Persönlichkeitsstruktur: Wie ist gerade diese Persönlichkeitsstruktur zustande gekommen, auf deren Boden die Symptomatik entstanden ist? Anzustreben ist ein möglichst genaues Bild von den Lebensumständen und Beziehungspersonen in der frühen Kindheit sowie von der Art, wie der Patient damals erlebt, sich verhalten und weiterentwickelt hat.
a) Aus welchem sozialen Milieu stammt der Patient?
  (Berufs- und Ehesituation der Eltern, Wohnung, Hausangestellte, Großeltern usw., sozialer Auf- oder Abstieg?)
b) Charakteristik der Eltern?
  (Vater und Mutter getrennt, Alter usw.: zu erfragen wie die Persönlichkeitsstruktur. Wer hat in der Ehe dominiert? Welche geistigen Bezugspersonen waren vorhanden?)
c) Was ist über die Geburt, den Schwangerschaftsverlauf bekannt?
  (Erwünschtes Kind? Auch im Geschlecht? Seelische Reaktionen und Gesundheitszustand der Mutter vor, während und nach der Geburt. Ist das Kind gestillt worden?)
d) Datum der Eheschließung der Eltern; deren Alter?
e) Auffälligkeiten in früher Kindheit (Primordialsymptomatik)?
  (Nägelkauen, langes Daumenlutschen, Eß- und Sprachstörungen, Emesis, Einnässen, Einkoten, Pavor nocturnus, Anfälle, Haarausreißen; frühkindliche Erkrankungen wie Ernährungsstörungen, Hypermotilität, Dreimonatskolik, Krankenhausaufenthalte?)
f) Stellung in der Geschwisterreihe und Beziehung zu den Geschwistern?
  (Geschlecht, Altersunterschiede, Reaktionen auf die Geburt neuer Geschwister; Erlebnisse mit ihnen; spätere Beziehungen; „Familienanekdoten"?)
g) Verlauf der Kindheit?
  - Nach frühesten Erinnerungen fragen (wörtlich, direkte Rede, oft entstellt, Deckerinnerungen).
  - Was ist aus Berichten von Angehörigen bekannt?
    (Sauberkeitsgewöhnung, motorische Entwicklung, Trotzphase, Sprachent-

wicklung, Fragealter, Erziehungsprinzipien, Tischgewohnheiten: mußte aufgegessen werden oder nicht? Sprechen bei Tisch?)
- Eigene Erinnerungen:
  · Vorschulalter?
  · Spiele, Spielfähigkeit?
  · Einzelgänger – Rädelsführer?
  · lebhaftes – stilles Kind?
  · verträglich – unverträglich?
  · schüchtern – aggressiv? Störer, Klassenclown?
  · Schulzeit (Art der Schule, Abschluß, Leistungen, Lieblingsfächer)?
  · Spitznamen?
h) Späterer Lebensweg?
   (Pubertät, Aufklärung, Onanie, erster Sexualverkehr, sexuelle Entwicklung. Berufsausbildung. Ehe. Entwicklung bis zum Beginn der Symptomatik?)

5. *Zusammenfassung:*
   - Alter des Patienten,
   - Symptome mit Dauer,
   - neurosenpsychologischer Hintergrund,
   - erschwerende und begünstigende Faktoren für die Therapie,
   - Diagnose,
   - Prognose,
   - Therapieplan.

Leitfaden zur Antragstellung für Psychotherapie nach den Psychotherapierichtlinien

1. Begriffsbestimmungen

Psychotherapie im Sinne der Richtlinien: Danach handelt es sich um ätiologisch orientierte Psychotherapie. Gegenstand der Behandlung ist die unbewußte Psychodynamik neurotischer Störungen mit psychischer und/oder somatischer Symptomatik.

Tiefenpsychologisch fundierte Psychotherapie:
- Diese behandelt aktuell wirksame neurotische Konflikte;
- Begrenzung des Behandlungszieles,
- Konzentration des therapeutischen Prozesses durch
  - konfliktzentriertes Vorgehen,
  - Einschränkung regressiver Tendenzen,
- Formen:
  - Fokaltherapie,
  - andere Verfahren der analytischen Kurztherapie (wie etwa die dynamische Psychotherapie nach Dührssen).

Analytische Psychotherapie:
- Zusammen mit der neurotischen Symptomatik wird behandelt:
  - der neurotische Konfliktstoff und
  - die zugrundeliegende neurotische Struktur;
- das therapeutische Geschehen wird in Gang gesetzt und gefördert mit Hilfe von
  - Übertragungs- und Widerstandsanalyse,
  - regressiven Prozessen.

Leistungspflicht der Krankenkassen: Diese ist nur gegeben, wenn
- die Psychotherapie der Heilung oder Linderung einer Krankheit im Sinne der RVO dient oder
- der medizinischen Rehabilitation mit dem Ziel der Eingliederung des Patienten in Beruf oder Gesellschaft.
- Indikationen für Psychotherapie gegeben bei
  - kurzfristig aktualisierten Neurosen,
  - psychogenen Körperstörungen,
  - chronifizierten Krankheitsbildern,
  - seelischen Behinderungen verschiedenster Art,
  - speziellen Formen von Psychosen,
    wenn psychodynamische Faktoren eine wesentliche Rolle spielen;
- einziger Ausschlußgrund: eine zu ungünstige Prognose.

Behandlungsplan:
- Der Plan beinhaltet prognostische Überlegungen betreffend:
  - Behandlungsziel,
  - beabsichtigtes therapeutisches Verfahren,
  - die dafür benötigte Stundenzahl.
- Kombination verschiedener Psychotherapieverfahren nicht möglich.
- Begrenzung der Stundenzahl:
  - bei tiefenpsychologisch fundierter Psychotherapie: in der Regel 40–50 Stunden, unabhängig von der Zeitdauer;
  - bei analytischer Psychotherapie:
    in der Regel 160 Stunden;
  - Überschreitungen bedürfen einer erneuten Antragstellung mit ausführlicher Begründung.
- Probebehandlung von 25 Stunden kann beantragt werden, wenn endgültige Indikationsstellung noch nicht möglich erscheint.

2. Grundsatzüberlegungen zur Antragstellung

- Die einzelnen Punkte des Antrags (Symptomatik, Anamnese, Psychodynamik, Diagnose) sind – für den Gutachter nachvollziehbar – im Zusammenhang zu sehen.
- Im Antrag muß die Verknüpfung zwischen
  - frühkindlicher Disposition,
  - auslösender Konfliktsituation,
  - neurotischem Konflikt,
  - neurotischer Symptomatik
  einsichtig beschrieben werden.
- Generell geht man von folgenden Annahmen aus:
  - Disposition zu späterer Krankheit im frühen Kindesalter erworben,
  - spezifische Versuchungs- und Versagungssituation im Erwachsenenalter sind auf dem Hintergrund der frühkindlichen Disposition zu verstehen und
  - aktualisieren einen neurotischen Konflikt, der
  - im neurotischen Symptom seine Verarbeitung findet.

3. Orientierungshilfen für die Formulierung eines Antrages auf Feststellung der Leistungspflicht für Psychotherapie

Zu Punkt 3: Spontanangaben des Patienten:
- Wörtliche Wiedergabe der besonders charakteristischen Eingangsklagen,
- Formulierungen mit Appellcharakter und subjektivem Leidensdruck bevorzugen,
- geschilderte Beschwerden müssen Krankheitswert haben.
- Darstellungsform:
  - wörtliche Wiedergabe der Eingangsklagen,
  - Zusammenfassende Beschreibung der Symptomatik,

- Hinweis auf die Dauer des Symptoms,
- Erwähnung charakteristischer Begleitumstände.

Zu Punkt 4: Anamnese (Gliederung):
1) Somatische Anamnese:
   – Angaben über frühere Erkrankungen,
   – insbesondere über eine früher durchgeführte Psychotherapie.
2) Psychische Anamnese (mit sozialer und Familienanamnese):
   – wichtige soziale Daten über das Kindheitsmilieu und die frühkindlichen Beziehungspersonen;
   – Charakterisierung der frühkindlichen Beziehungspersonen und ihres Verhältnisses zum Patienten;
   – Angaben über den Verlauf der Schwangerschaft, frühkindliche und allgemeine körperliche Entwicklung bis zur Pubertät;
   – psychische Entwicklung unter Angabe
     - traumatisierender Situationen,
     - besonderen Milieubelastungen,
     - wesentlicher Konflikte, die die Disposition für die spätere neurotische Erkrankung geschaffen haben.
   – Schulische und berufliche Entwicklung:
     - soziale Daten,
     - Kontakt- und Leistungsverhalten,
     - Motiv der Berufswahl,
     - beruflicher Werdegang,
     - typische Schwierigkeiten am Arbeitsplatz.
   – Sexuelle Entwicklung und Partnerschaft:
     - frühkindliche Sexualität,
       - sexuelle Entwicklung bis zur Pubertät,
       - Pubertätskrisen, 1. Partnerschaft, 1. Koitus, weitere Entwicklung der Partnerbeziehungen,
     - Einstellung zur Partnerschaft und Sexualität,
     - Charakterisierung der gegenwärtigen Partnerschaft,
     - Einstellung zu Kindern, Ehe (evtl. Scheidung).

Zu Punkt 5: Befund zum Zeitpunkt der Antragstellung:
1) Psychischer Befund (eng mit Prognose verknüpft), bezieht sich vor allem auf:
   – Rapportfähigkeit,
   – Introspektionsfähigkeit,
   – Wandlungsfähigkeit des Patienten und seine
   – Motivation für die psychotherapeutische Behandlung;
   – grob abnorme psychopathologische Auffälligkeiten dürfen nicht verschwiegen werden; wichtig ist die
   – Beurteilung intakter Ich-Anteile, die ein
   – therapeutisches Arbeitsbündnis ermöglichen.
   – Aufzeigen einer Zukunftsperspektive (Prognose) mit
     - emotionalem Wachstumspotential und
     - Wandlungsmöglichkeiten;

- psychiatrischer Befund (unter Berücksichtigung der intakten Ich-Anteile) zu trennen vom
- psychoanalytischen Befund (Strukturmerkmale, Abwehrmechanismen, Regressionsneigung usw.).

2) Somatischer Befund:
- Wurde ein somatischer Befund erhoben? Wenn ja, welcher? (evtl. Bericht beilegen);
- auf letzte Untersuchung beim Hausarzt verweisen.
- Welche Untersuchungen hat man selber veranlaßt, welches Ergebnis haben sie erbracht?

Zu Punkt 6: Psychodynamik:
- Etwas unterschiedliche Darstellung eines chronifizierten und eines aktuellen Krankheitsgeschehens;
- bei chronifiziertem Geschehen Hinweise auf
  · Veränderungen in äußeren Lebensbedingungen (aktuelle Konfliktsituation) und darauf,
  · daß bisherige Form der Anpassung bzw. Konfliktlösung nicht mehr tragfähig ist zum Erhalt des Gleichgewichts sowie Begründung,
  · warum der Patient gerade jetzt in Behandlung kommt.
- Mögliche Gliederung:
  · Darstellung der äußeren Ereignisse, die zeitlich mit der Entstehung, der Exazerbation oder der Wandlung der Symptomatik zusammenfallen;
  · Zuordnung dieser Ereignisse zu einem neurotischen (d.h. immer intrapsychischen) Konflikt, der auf diese Weise aktualisiert oder verändert wurde, unter Bezugnahme auf die entsprechenden disponierenden Faktoren der Genese;
  · Darstellung der Symptomatik als eines neurotischen Versuchs der Konfliktlösung.

Zu Punkt 7: Diagnose:
- Klassifizierung des Krankheitsbildes nach der Symptomatik in Verbindung mit einer diagnostischen Aussage über die Persönlichkeitsstruktur.
- Differentialdiagnostische Überlegungen vor allem bei Verdacht auf schwere Störungen.

Zu Punkt 8: Behandlungsplan:
Begründung der Wahl der Therapieform;
- bei tiefenpsychologisch fundierter Psychotherapie:
  · Beschränkung des Behandlungsziels mit Bearbeitung eines ausgegrenzten neurotischen Konflikts;
  · Ziel: Symptombesserung (oder -heilung);
  · Angabe, welcher Konfliktanteil bearbeitet werden soll, welches Ziel damit verfolgt wird;
  · Angabe der Wahl der Form der Kurztherapie mit Begründung und Anzahl und Frequenz der Sitzungen;
  · bei Fokaltherapie Angabe des Fokus;

- bei analytischer Psychotherapie:
  · Begründung, warum Arbeit an der neurotischen Struktur nötig ist bzw. warum Erweiterung des Behandlungsziels über das Symptom hinaus unumgänglich ist (etwa: neurotischer Konflikt ausgeprägt mit Struktur der Persönlichkeit verflochten);
- bei analytischer Gruppentherapie (ähnlich wie oben):
- Entscheidung, ob Gruppen- oder Einzeltherapie mit der Frage:
  · Sollen Konflikte eher im sozialen Umfeld ausgetragen werden?
  · Sollen neue soziale Lernmöglichkeiten eröffnet werden?
  Wenn ja, dann Gruppentherapie.
  · Soll sich Patient eher mit seinen inneren Objekten auseinandersetzen?
  Wenn ja, dann Einzeltherapie.

Zu Punkt 9: Prognose:
Neben Punkt 6 („Psychodynamik") von besonderer Bedeutung;
- abzuwägen sind günstige und ungünstige Faktoren (die günstigen sind jedoch besonders hervorzuheben);
- Darstellung ähnlich wie unter Punkt 5 („Psychischer Befund").

Literatur

Rohde-Dachser C (1975; unveröffentlicht) Leitfaden zur Antragserstellung für Psychotherapie nach den neuen Psychotherapierichtlinien

Formblätter (Beispiele); (s. S. 128-134)

Hinweis:
Die auf den Seiten 128-134 verwendeten Formulare wurden 1988 überarbeitet und z.T. geändert. Neufassung s. Anhang S. 183-193.

Leitfaden zur Antragstellung für Psychotherapie

Ärztlicher Psychotherapeut

Name und Anschrift

KV-Abrechnungsnummer:

(Name und Anschrift der zuständigen Vertragskasse)

Bericht des Psychotherapie ausführenden Arztes an den Gutachter zum Antrag auf Feststellung der Leistungspflicht für Psychotherapie

Chiffre: V | 2 | 3 | 1 | 0 | 6 | 1
Anfangsbuchstabe d. Familiennamens | Geburtsdatum (sechsstellig)
des Patienten

1. Angaben über den Patienten:

Alter	Geschlecht	Familienstand						Kinderzahl
26	ml	led.	verh.	verw.	gesch.	wieder-verh.	getrennt lebend	
erlernter Beruf		Student						
zuletzt ausgeübte Tätigkeit								

2. a) Die Behandlung hat begonnen am _____

soll beginnen am __Juni 1987__

Bisher wurden folgende psychodiagnostische / psychotherapeutische Leistungen ausgeführt:

__1__ Leistungen nach Ziffer __877__ E-Adgo   _____ Leistungen nach Ziffer _____ E-Adgo

_____ Leistungen nach Ziffer _____ E-Adgo   _____ Leistungen nach Ziffer _____ E-Adgo

_____ Leistungen nach Ziffer _____ E-Adgo   _____ Leistungen nach Ziffer _____ E-Adgo

b) Es sind voraussichtlich bei einer Frequenz von wöchentlich __3__ Sitzungen erforderlich:

aa) als **Einzelbehandlung**   __80__ Leistungen nach Ziffer __863__ E-Adgo

bb) als **Gruppenbehandlung**   _____ Leistungen nach Ziffer _____ E-Adgo
(Zahl der Teilnehmer: _____)

Zur Beachtung:
Das Original ist im verschlossenen roten Umschlag der Vertragskasse zur Weiterleitung an den Gutachter einzureichen. Die Durchschrift ist für die Akten des Psychotherapie ausführenden Arztes bestimmt.

Formblatt PT 3 a / E   Bericht des Arztes an den Gutachter

3. Spontanangaben des Patienten *)

Schilderung der Klagen des Patienten - möglichst mit wörtlichen Zitaten - und der Symptomatik zu Beginn der Behandlung. Ist tiefenpsychologisch fundierte oder analytische Psychotherapie im Rahmen von Rehabilitation geplant, kann hier auch der Bericht der Angehörigen des betr. Patienten eingefügt werden.

"Vor 4 Jahren hat es begonnen, als ich abends etwas mehr getrunken hatte. Da bekam ich starkes Herzklopfen, Herzschmerzen, einen schnellen Herzschlag. Dabei hatte ich große Angst. Ich mußte mich dann übergeben. Dann kam der Notarzt und gab mir eine Kalziumspritze - aber dann wurde es noch schlechter. Seither bin ich immer wieder bei Ärzten, wurde gründlich durchuntersucht. Nie wurde etwas gefunden. Seither ist es einmal kurz vor einer schweren Prüfung aufgetreten. Dann schien es weg zu sein. Aber jetzt kam es im Urlaub wieder. Ich fühle mich sehr beeinträchtigt. Ich war auch im Krankenhaus. Nichts hat geholfen. Außerdem habe ich mit der Blase zu tun. Seit etwa 1961. Man sprach von einer 'Prostatitis'. Das kommt auch immer wieder."

4. Anamnese

Hier sollen möglichst alle w e s e n t l i c h e n Erkrankungen erwähnt werden, derentwegen der Patient schon ärztliche Behandlung (ambulant, stationär, Kurbehandlung) erfahren hat. Nach Möglichkeit sollen auch die Namen der Ärzte und Krankenhäuser genannt werden; diese Angaben sind jedoch in jedem Falle bei einer bereits f r ü h e r durchgeführten P s y c h o t h e r a p i e zu machen.

Die Anamnese kann in freier Form dargestellt werden. Es sind jedoch zu berücksichtigen
a) Familienanamnese, b) körperliche Entwicklung, c) psychische Entwicklung, d) sozialpsychologische Entwicklung (mit besonderer Berücksichtigung der familiären und beruflichen Situation, des Bildungsganges und der Krisen in phasentypischen Schwellensituationen).

Als Kind mit 5 J. für 1 J. Bronchialasthma ("immer, wenn ich zur Großmutter kam - das lag an den Bettfedern"); Scheuermann-Krankheit, Appendektomie, Tonsillektomie, Prostatitis (s.o.), Gastritiden.
Pat. ist in M. geboren; seine Eltern ließen sich scheiden, als er 12 J. alt war. Einzelkind. Er habe bei der Mutter gelebt, zum Vater kaum ein Verhältnis gehabt. "Ich bin auf Mutter fixiert". Va. (+ 36 J.), Angestellter, Vertreter, habe in den ersten Jahren, als Mutter arbeiten gegangen sei, viel Zeit für ihn gehabt, viel rausgefahren in den Wald, zusammen Streiche gemacht. Er sei verschwenderisch, habe kein Verhältnis zum Geld, sei cholerisch-aufbrausend. Mu. (+ 38 J.) sei dagegen kleinlich, sparsam, habe strenge moralische Auffassungen; bei Tisch alles sauber, streng geregelt, gutes Benehmen sehr wichtig; enge räumliche Verhältnisse; zunächst auch Kindermädchen in der Familie. "Ich habe Angst, daß Mu. was passiert - dann ist meine Existenzgrundlage weg." Bis 25. LJ. bei ihr gewohnt. Bis zum 11. LJ. zu dritt in einem Raum geschlafen, dann bis vor einem Jahr im Wohnzimmer.
Primordialsymptomatik: Angstträume, "braves Kind". "Ich war der Heiratsgrund."
Früheste Kindheitserinnerung: "Mu. erzählte, daß bei der Geburt das Licht ausging." Mu. habe ihm sehr viel Freiheit gelassen, sich wenig um ihn gekümmert, Va. habe aber gedroht, ihn von der Schule zu nehmen, wenn er durchfalle. Va. hatte keine Ausbildung, kein Verständnis für längeres Studium. Mu. war stolz auf den "studierten Sohn".
Pat. schreibt an der Diplomarbeit, will dann promovieren. Finanziell von der Mu. abhängig; lebt seit 1/2 J. in Untermiete. Wenig Zeit für Hobbys. Zwischen 18 und 24 mit Mädchen befreundet, "bei denen habe ich mich zu Hause gefühlt" (damals verschleppte Harnwegsinfektion). "Ich hatte immer Angst, Mu. alleine zu lassen. Sie machte mir auch Vorwürfe. "Damals sei bei einer Feier die erste Herzsymptomatik aufgetreten, als er getrunken habe (Auslösesituation!). Er sei nach Hause gegangen, Mu. nicht dagewesen, sei aber sofort gekommen, als sie hörte, es ginge ihm schlecht. Ähnliche Situation einige Monate vor der Untersuchung mit verstärkter Symptomatik. Zu gleicher Zeit hatte er eine Beziehung zu einem Mädchen, "das mich anfangs begeistert hat, weil sie immer lachte und hübsch war". "Dann ging sie mir auf die Nerven; ich mußte immer an Mu. denken, die jetzt allein wohnt."
Er selbst bezeichnet sich als ehrgeizig, könne aber nicht durchhalten, sei leicht kränkbar, könne schlecht mit Ärger umgehen, fresse ihn in sich rein oder "platze" heraus, sei sehr anhänglich.

---
*) Diese und die folgenden Fragen sind in freier Form zu beantworten.

5. Befund zum Zeitpunkt der Antragstellung:
Auch von anderen Ärzten erhobene Befunde, ggf. unter Beifügung der Befundberichte - besonders der letzten 3 Monate.
Sind tiefenpsychologisch fundierte oder analytische Psychotherapie zur Rehabilitation geplant, so sind die Ergebnisse klinischer Beobachtungen, spezieller ärztlicher Untersuchungen, die den Umfang der Behinderung erkennen lassen, als Kopie beizufügen.

a) Psychischer Befund
(emotionaler Kontakt, Intelligenzleistung und Differenziertheit der Persönlichkeit, Einsichtsfähigkeit, Krankheitseinsicht, Strukturmerkmale, bevorzugte Abwehrmechanismen, evtl. Art und Umfang der infantilen Fixierungen, innere Motivation des Patienten zur Psychotherapie sowie Angaben zur psychopathologischen Symptomatik, wie z. B. Bewußtseinsstörungen, Störungen der Stimmungslage, der Affektivität und der mnestischen Funktionen, Wahnsymptomatik, suizidale Tendenzen):

Sympathischer, aufgeschlossener, gut aussehender, sportlicher Patient, lässig gekleidet; guter Blickkontakt, emotional ansprechbar; er scheint bereit, seinen Lebensplan in Frage zu stellen, geht auf Reizdeutungen ein, ist differenziert, intelligent; wesentliche Abwehrmechanismen: Rationalisierung, Regression; keine Bewußtseinsstörungen, keine Wahnsymptomatik, keine suizidalen Tendenzen.

b) Somatischer Befund:

Es wurde kein pathologischer organischer Befund erhoben, weder am Herzen, am Herz-Kreislauf-System, noch an der Blase, der Prostata oder im Bereich des Magen-Darm-Traktes. Befunde anbei.

6. Psychodynamik der neurotischen Erkrankung
Darstellung der neurotischen Entwicklung und des intrapsychischen Konfliktes mit der daraus folgenden neurotischen Kompromiß- und Symptombildung. Zeitpunkt des Auftretens der Symptome und die auslösenden Faktoren im Zusammenhang mit der psychodynamischen Entwicklung sind zu beschreiben. **Ohne eine ausreichende Beantwortung dieser Frage kann der Antrag durch den Gutachter nicht bearbeitet werden!**
(Sind tiefenpsychologisch fundierte oder analytische Psychotherapie zur Rehabilitation geplant, ist der psychodynamisch relevante Faktor in der Behinderung oder in deren Folgen darzustellen (auch Interaktionen zwischen Behindertem und sozialem Umfeld!).)

Die im Vordergrund der Problematik und Symptomatik stehenden Herzbeschwerden gehen hauptsächlich auf einen Trennungskonflikt in bezug auf die Mutter zurück. Auch sie "hängt" sehr an ihrem Sohn, kehrt aus dem Urlaub zurück, wenn es ihm mal nicht gut geht. Sie ist sehr besorgt um ihn. Pat. seinerseits spricht von ihr als seiner "Existenzgrundlage", die nicht allein materiell zu deuten ist. Bis vor wenigen Monaten wohnte er noch bei ihr gewohnt. Eine Schuldproblematik spielt insofern eine Rolle, als er nicht frei von Gedanken an seine Mutter mit seinen Freundinnen zusammen sein kann, sich aber andererseits bei ihnen wohler fühlt, weil er hofft, den Armen der Mutter "entfliehen" zu können. Individuationstendenzen stehen im Widerstreit mit Geborgenheitswünschen. Symptome traten zweimal in der Zeit auf, als die Mutter - mit einem Freund - in Urlaub war; mit Hilfe der Beschwerden hat er sie "zurückholen" können. Umgekehrt kann Pat. nicht frei mit seinen Freundinnen zusammen sein. In diesem Zusammenhang ist ein Sichschuldigfühlen bei den ersten sexuellen Kontakten und den rezidivierenden Harnwegsinfekten mit der Prostatitis zu diskutieren. Hierher gehört auch das betont progressiv-forsche Verhalten des Patienten als Kompensation der Abhängigkeit von der Mutter. Die wechselhaft intensive und ambivalente Beziehung zu seinem Vater dürfte die Findung der eigenen Geschlechtsrolle erschwert haben.

7. Diagnose
zum Zeitpunkt der Antragstellung, evtl. differential-diagnostische Erwägungen.

Es handelt sich bei dem Patienten um eine neurotische Persönlichkeitsentwicklung mit Störungen vorwiegend aus der oralen und der analen, aber auch der intentionalen Phase der frühen Kindheit. Narzißtische Anteile sind anzunehmen, in ihrem Ausmaß jedoch noch nicht sicher abschätzbar. Identifikationsstörungen mit der eigenen Geschlechtsrolle. Erhebliche Somatisierungstendenzen.

8. Behandlungsplan
Begründung für Art und Dauer der Psychotherapie.
Bei tiefenpsychologisch fundierter Psychotherapie: z. B. analytische Kurztherapie, dynamische Psychotherapie, Fokaltherapie, andere Kurztherapieverfahren; tiefenpsychologisch fundierte Gruppenpsychotherapie.
Analytische Psychotherapie, analytische Gruppenpsychotherapie, Probepsychotherapie.
Bei tiefenpsychologisch fundierter oder analytischer Psychotherapie als Maßnahme der Rehabilitation muß die Begründung für Art und Dauer der Therapie im Hinblick auf die Zielsetzung der geplanten Rehabilitationsmaßnahmen dargestellt werden (Eingliederung in Arbeit, Beruf und Gesellschaft).

Bei dem Patienten ist eine analytische Einzeltherapie angezeigt und vorgesehen. Die Behandlungsdauer wird einen längeren Zeitraum beanspruchen. Die Voraussetzungen für diese Art der Therapie sind bei dem Patienten günstig (s. Punkt 9).
Der Versicherungsträger wird um Zustimmung und Unterstützung einer analytischen Einzeltherapie von zunächst 80 Sitzungen gebeten.

9. Prognose der Psychotherapie
Beurteilung der Motivationslage und des Problembewußtseins des Patienten, seiner Beziehungsfähigkeit, seiner Verläßlichkeit und partiellen Lebensbewältigung.
Insbesondere Beurteilung der Fähigkeit oder Tendenz zur Regression, Ausmaß der Fixierung, der Flexibilität, der Entwicklungsmöglichkeit und der Krankheitseinsicht, soweit nicht schon unter 5a abgehandelt.

Die Prognose ist als nicht allzu schlecht anzusehen; dafür spricht das Introspektionsvermögen, die Differenziertheit des Patienten, die anzunehmende Flexibilität mit der Bereitschaft, den Lebensplan in Frage zu stellen. Der Leidensdruck ist groß, die Motivation zur Behandlung gut.
Ein erfolgreicher Abschluß der Behandlung wird davon abhängen, ob der Pat. die Therapie durchhalten wird. Nach dem Gesamteindruck, den bereits ausgeprägten Somatisierungstendenzen und wegen des relativ jungen Alters sollte eine analytische Psychotherapie unbedingtt versucht werden.

10.
a) Ich versichere, daß ich die beantragte Psychotherapie selbst durchführen werde.   [X] ja   [ ] nein
(Mir ist bekannt, daß es eines erneuten Antrages bedarf, wenn ich beabsichtige, für die beantragte Psychotherapie einen nichtärztlichen Psychotherapeuten hinzuzuziehen.)

b) Ich beabsichtige, für die beantragte Psychotherapie einen nichtärztlichen Psychotherapeuten hinzuzuziehen (Formblatt PT 3 c/E); die Behandlung wird unter meiner allgemeinen ärztlichen Verantwortung durchgeführt.   [ ] ja   [X] nein

c) Ich beabsichtige, mit der beantragten Psychotherapie einen Ausbildungskandidaten im letzten Jahr seiner Ausbildung unter meiner Verantwortung zu beauftragen.   [ ] ja   [X] nein
[ ] Arzt   [ ] Nichtarzt

.... (Name des Ausbildungskandidaten)
Anerkanntes Institut: ....

.... (Ort und Datum)   .... (Stempel und Unterschrift des ärztlichen Psychotherapeuten)

**Antrag
auf Feststellung der
Leistungspflicht
für
tiefenpsychologisch fundierte
oder
analytische Psychotherapie**

Chiffre: ☐☐☐☐☐☐☐

Anfangsbuchstabe | Geburtsdatum
d. Familiennamens | (sechsstellig)
des Patienten

1. Gemäß der Vereinbarung über die Ausübung von tiefenpsychologisch fundierter und analytischer Psychotherapie in der vertragsärztlichen Versorgung bitte ich um Begutachtung und Entscheidung zu der beabsichtigten

   ☐ Psychotherapie des umseitig genannten Patienten ☐ Fortführung der Psychotherapie des umseitig genannten Patienten

2. a) Die Behandlung hat begonnen am.................... soll beginnen am....................
   Bisher wurden folgende psychodiagnostische/psychotherapeutische Leistungen ausgeführt:

   .... Leistungen nach Ziff. .... EGO .... Leistungen nach Ziff. .... EGO

   .... Leistungen nach Ziff. .... EGO .... Leistungen nach Ziff. .... EGO

   .... Leistungen nach Ziff. .... EGO .... Leistungen nach Ziff. .... EGO

   b) Es sind voraussichtlich erforderlich/weiter erforderlich
      aa) als Einzelbehandlung   .... Leistungen nach Ziff. .... EGO

      bb) als Gruppenbehandlung   .... Leistungen nach Ziff. .... EGO

3. Ich beabsichtige, bei der Durchführung der vorgesehenen Psychotherapie einen nichtärztlichen Psychotherapeuten ☐
   Psychagogen ☐ hinzuzuziehen,   ☐ ja   ☐ nein
   einen Ausbildungskandidaten ☐ hinzuzuziehen.   ☐ ja   ☐ nein

4. Bei der vorgesehenen Kinder-Psychotherapie ist eine begleitende
   Psychotherapie der Beziehungsperson notwendig   ☐ ja   ☐ nein

5. Diagnose

6. Ist der umseitig genannte Patient als erwerbsunfähig anzusehen?   ☐ ja   ☐ nein

   Ist die Erwerbsfähigkeit des Patienten gefährdet?   ☐ ja   ☐ nein

   Ist die Erwerbsfähigkeit des Patienten gemindert?   ☐ ja   ☐ nein

_____   _____
(Ort und Datum)   (Stempel und Unterschrift des ärztlichen Psychotherapeuten)

Gutachter Dr. med. ....
                   (Name)
                   ....
                   (Anschrift)

Formblatt PT 2/E Angaben des Arztes an die Vertragskasse

Formblätter (Beispiele) 133

Ärztlicher Psychotherapeut

Name und Anschrift

**Antrag
auf Feststellung der
Leistungspflicht
für
tiefenpsychologisch fundierte
oder
analytische Psychotherapie**

Chiffre:
Anfangsbuchstabe d. Familiennamens | Geburtsdatum (sechsstellig)
des Patienten

(Name und Anschrift der zuständigen Vertragskasse)

Zuname des Mitgliedes	Vorname	geb. am	beschäftigt als	Mitglieds-Nr.
Zuname des Angehörigen	Vorname	geb. am		

Name und Anschrift des Arbeitgebers

Anschrift des Patienten

Ich beantrage für mich bzw. für den obengenannten Angehörigen die Feststellung der Leistungspflicht für
☐ Psychotherapie   ☐ Fortführung der Psychotherapie

In den letzten 18 Monaten lag während folgender Zeiten Arbeitsunfähigkeit vor:

vom	bis	wegen
vom	bis	wegen
vom	bis	wegen

In den letzten drei Jahren hat wegen folgender Krankheiten stationäre Krankenhausbehandlung stattgefunden:

vom	bis	wegen	Krankenhaus
vom	bis	wegen	Krankenhaus
vom	bis	wegen	Krankenhaus

Es wurden folgende Kuren oder Heilverfahren (einschließlich solcher anderer Kostenträger) durchgeführt:

vom	bis	wegen	Kurort	Kostenträger
vom	bis	wegen	Kurort	Kostenträger
vom	bis	wegen	Kurort	Kostenträger

Wurde bereits vor der jetzigen Behandlung eine ambulante/stationäre Psychotherapie durchgeführt? ☐ ja ☐ nein
Wer war der Behandler? _____ (Name) _____ (Ort)
Ungefähre Dauer der damaligen Behandlung: von _____ bis _____
Wer hat die Kosten übernommen bzw. Kostenzuschüsse gewährt: _____
Ist ein Rentenantrag gestellt? ☐ ja ☐ nein Ggf. wann und bei wem: _____

Erklärung

Ich erkläre mich damit einverstanden, daß der die Psychotherapie ausführende Arzt:

Dr. med. _____

einem ärztlichen Gutachter die erforderlichen Auskünfte und Angaben über das Krankheitsbild anonym und unter Chiffre erteilt.

(Datum)

(Datum)   (Unterschrift des Patienten, ggf. seines gesetzlichen Vertreters)   (Unterschrift des Mitgliedes)

Formblatt PT 1/E Antrag des Mitgliedes an die Vertragskasse

> **Achtung! Dieser Briefumschlag ist nur vom Gutachter zu öffnen.**

Vertragskasse: _____ Chiffre-Nr.: _____

Inhalt: *) Bericht des Psychotherapie ausführenden Arztes an den Gutachter gemäß

- ☐ Formblatt PT 3 a/E
- ☐ Formblatt PT 3 b/E (bei Fortführung der Behandlung)
- ☐ Formblatt PT 3 a (K)/E (Kinderpsychotherapie)
- ☐ Formblatt PT 3 b (K)/E (bei Fortführung der Behandlung)
- ☐ Ergänzungsantrag zu Formblatt PT 3 b/E
- ☐ Ergänzungsantrag zu Formblatt PT 3 b (K)/E

*) Zutreffendes bitte ankreuzen

(Datum des Eingangs bei der Vertragskasse)

(Stempel des Psychotherapie beantragenden Arztes)

PT 8/E

Hinweise zur Indikation für besondere Therapieformen

Psychoanalyse

- Psychoreaktive seelische Störungen (z. B. Angstneurosen, Phobien, neurotische Depressionen),
- Konversionsorganneurosen,
- vegetative funktionelle Störungen mit gesicherter psychischer Ätiologie,
- seelische Behinderungen aufgrund frühkindlicher emotionaler Mangelzustände,
- seelische Behinderungen in Zusammenhang mit frühkindlichen körperlichen Schädigungen und/oder Mißbildungen (in Ausnahmefällen),
- seelische Behinderungen als Folgezustände schwerer chronischer Krankheitsverläufe, sofern sie noch einen Ansatzpunkt für die Anwendung von tiefenpsychologisch fundierter und analytischer Psychotherapie bieten (z. B. Zustand bei chronisch verlaufenden rheumatischen Erkrankungen, speziellen Formen von Psychosen),
- seelische Behinderungen aufgrund extremer Situationen, die eine schwere Beeinträchtigung der Persönlichkeit zur Folge hatten (z. B. langjährige Haft, schicksalhafte psychische Traumen).

Tiefenpsychologisch fundierte Psychotherapie

Diese umfaßt Therapieformen,
- die aktuell wirksame neurotische Konflikte behandeln, dabei aber
  · durch Begrenzung des Behandlungszieles,
  · durch ein konfliktzentriertes Vorgehen und
  · durch Einschränkung regressiver Tendenzen
- eine Konzentration des therapeutischen Prozesses anstreben.

Analytische Psychotherapie

Diese umfaßt jene Psychotherapieformen, die zusammen mit der neurotischen Symptomatik
- den neurotischen Konfliktstoff und
- die zugrundeliegende neurotische Struktur des Patienten behandeln und dabei
- das therapeutische Geschehen in Gang setzen und fördern
  · mit Hilfe der Übertragungs- und Widerstandsanalyse,
  · unter Nutzung regressiver Prozesse.

Analytische Gruppentherapie

Diese ist geeignet für Patienten
- mit psychosomatischen Störungen (Zugang zu introspektiven Techniken erschwert),
- mit hysterisch-zwanghaften Strukturen,
- deren Verhalten durch Allmachtsphantasien motiviert ist (Einzelkindsituation),
- mit Verhaltensstörungen in bezug auf den Umgang mit Autoritäten,
- mit verwahrlostem, dissozialem Verhalten (Jugendliche),
- mit Zwangsstrukturen (aufgrund von Angst vor Veränderung und Wandel).

Wichtig: vorherige Klärung der Frage, ob der Patient die Therapie im Rahmen der Gruppe verkraften kann (Beachtung der Toleranzgrenze).

Psychotherapie in der Klinik. (Nach Heigl 1972)

(Siehe auch „Stationäre Psychotherapie, S. 168 ff.)

1. Aus ärztlichen Gründen
  a) Ständige ärztliche Überwachung in der Klinik:
     internistisch:
     - Magersucht,
     - beeinträchtigende psychosomatische Symptome wie
       · Asthma bronchiale,
       · Ulcus ventriculi,
       · sonstige Funktionseinschränkungen;
     psychiatrisch:
     - Psychosen,
     - Suizidgefahr,
     - Süchte.
  b) Schonklima der Klinik:
     - Schutz für den Patienten:
       · Krisenschutz während laufender ambulanter Analyse etwa bei schizoiden Patienten,
       · präpsychotische Grenzfälle,
       · bei depressiven Patienten:
       Suizidgefahr,
       häufiges Nichterscheinen bei ambulanter Behandlung,
       Entziehungskur,
       · bei zwangsneurotischen Patienten:
       lebensbedrohende Symptome
       präpsychotische Zustände
       · bei hysterischen Patienten:
       Agieren;
     - Schutz für Beziehungspersonen bei
       · Charakterneurosen,
       · Unruhe- und Verwirrtheitszuständen,

- Willkürdurchbrüchen,
- Agieren
- psychotischen Erscheinungen;
– symtombedingte Unmöglichkeit ambulanter Therapie bei
  - Agoraphobie,
  - sonstigen Phobien
  - gewissen Zwangssymptomen,
  - Angstneurosen,
  - Gangstörungen,
  - sozial untragbaren Tics;
– Schutz vor negativem Einfluß der Umgebung bei
  - Ehekrisen,
  - Fixierung auf das häusliche Milieu.
c) Größere Effektivität zeitlich limitierter Therapie in der Klinik:
  – Indikationen zur Kurztherapie (Gruppentherapie, Einzeltherapie, analytisch orientierte Gespräche):
    - zur Vorbehandlung und Vorbereitung einer Langzeitanalyse,
    - zum Behandlungsversuch mit gleichzeitiger prognostischer Klärung.
d) Breite der therapeutischen Möglichkeiten in der Klinik:
  – Indikation zur Anwendung mehrerer psychotherapeutischer Methoden zur
    - Vorbeugung von Invalidität,
    - Anwendung pragmatischer Verfahren.
e) Suggestiver Charakter der Klinik:
  – Indikationen bei Patienten mit Fixierung auf organogene Vorstellungen:
    - zur Vorbehandlung und zum Behandlungsversuch.

2. Indikationen aus äußeren, nichtärztlichen Gründen
  – Kostenträger nicht vorhanden,
  – Fehlen von Psychotherapeuten am Wohnort des Patienten.

Literatur: s. am Ende des Kapitels „Psychoanalytische Therapie", S.147f.

Psychoanalytische Therapie

Allgemeine Richtlinien:
- Strukturwandlung im Unbewußten wird angestrebt,
- keine aktive Beeinflussung des Patienten,
- keine Stellungnahme, Lenkung, Führung;
- Entscheidungen werden dem Patienten nicht abgenommen,
- Therapeut versucht, den Patienten zu Entschlüssen kommen zu lassen.

Äußerlicher Gang der Analyse:
- Erstbesprechung zum Kennenlernen („Erstinterview");
  - Überblick über Beschwerden und Biographie,
  - der Patient soll dabei sprechen,
  - subjektive Dinge sollen zur Sprache kommen,
  - keine eingrenzenden Fragen.
- Ist eine Therapie überhaupt ratsam?
- Besprechung der Bedingungen der Analyse:
  - innerer Verlauf,
  - äußere Bedingungen (Zeit, Honorar);
- erster Kontakt, erste Übertragungsvorgänge (damit erster therapeutischer Schritt).

Grundregel:
- Analysand soll alles aussprechen, was ihm einfällt: Gedanken, Körpergefühle, Assoziationen.

Warum Couch?
- Introspektion leichter,
- peinliche Inhalte können leichter ausgesprochen werden,
- Stillegung des motorischen Agierens (nur Verbalisieren!),
- Therapeut sitzt dahinter: bessere Übertragungsmöglichkeiten, nicht dauernde Beobachtung,
- Schutz des Therapeuten (vor Gegenübertragung).

Ablauf, Hauptfaktoren und -aspekte

Fiktiver Standardverlauf der psychoanalytischen Kur

Eröffnungsphase	Mittlere Phase	Abschlußphase
Materialsammeln		
Spontanübertragung →	Übertragungsneurose →	Auflösung der Übertragungsneurose
Konkordante Gegenübertragung (mehr symbiotisch)		
	Komplementäre Gegenübertragung	
	Widerstandsanalyse	
	Benigne Regression, Progression	Neubeginn / Progression Regression
Erinnern (Wiederholen) →	Erinnern **Wiederholen** →	Erinnern Wiederholen Durcharbeiten →

Verlauf der Analyse

- 2–4 Stunden pro Woche (insgesamt 150–250 Stunden, s. unten),
- das Unbewußte des Analysanden soll Führung übernehmen,
- „frei schwebende Aufmerksamkeit" des Therapeuten;
- gezielte Widerstandsanalyse später:
    · Wo steckt die blockierende Angst?
    · Welchen Inhalt hat die Angst?
- Vermutlicher Inhalt soll angesprochen werden:
    · heftiger Widerstand bedeutet oft richtige Deutung,
    · positive Zustimmung kritisch betrachten;
- Mitteilungen führen in genetisch frühere Phasen:
    · Übertragung wird stärker,
    · Therapeut Stellvertreter früherer Bezugspersonen,
    · an Therapeuten richten sich alle Hoffnungen, Erwartungen, Aggressionen (wie an erste Bezugsfiguren),
    · starke emotionale Erlebnismöglichkeit,
    · dadurch Einschmelzen der Symptome möglich;
- wesentliches Geschehen: Widerstand und Übertragung.

Mittel der Analyse:
- Mitteilung der bewußten Faktoren,
- Mitteilen von Träumen und Assoziationen,

- Gesamtverhalten des Analysanden, das unbewußte Dinge signalisiert,
- Fehlhandlungen,
- Abwehrmechanismen, aus denen sich der Widerstand aufbaut,
- Übertragungssituation.

Förderung des analytischen Prozesses durch:
- rechtes Zuhören,
- rechtes Fragen („in Frage stellen"),
- ständiges Beobachten,
- sich identifizieren mit dem Analysanden,
- sich distanzieren vom Analysanden,
- verbalisieren (deuten),
- achten auf Gegenübertragung,
- Analytiker hat nur katalysatorische Funktionen.

Dauer der Analyse:
- mindestens 150–250 Stunden; Gründe dafür:
- lange Lebensgeschichte, die durchgearbeitet werden muß,
- Gewohnheiten, die sich eingeschliffen haben und nicht so schnell aufgegeben werden können,
- Furcht vor der Heilung vom Unbewußten her, trotz bewußten Wunsches nach Heilung: Es-Widerstände und Strafbedürfnis.

Wichtige Faktoren der Analyse:
- Erkenntnismoment: Einsicht,
- ethisches Moment: Aufrichtigkeit (sich selbst und dem Therapeuten gegenüber),
- ökonomisch-pädagogisches Moment: Übungsfaktor,
- emotionales Element: Übertragungsvorgang (mit dem Ziel, größere Liebesfähigkeit zu gewinnen),
- kognitives Moment: Bewußtseinserweiterung,
- genetisch-biografisches Moment: Freiwerden von Vereinsamung und von den Fesseln der eigenen Vergangenheit,
- adäquates Durchschreiten der Lebensaltersstufen: wachsende Realitätsannahme in innerer und äußerer Hinsicht.

Indikation und Gegenindikation

- Der zu behandelnde Zustand muß innerem Konflikt entspringen (Psychoneurose).
- Der Konflikt muß eine realisierbare Lösung erlauben:
  · Ist die bestehende Neurose die beste Lösung für den Patienten?
  · Bringt ihn eine Heilung in eine schlechtere Situation?
- Der Patient muß in der Lage sein,
  · aktiv mitzuarbeiten,
  · Introspektionsfähigkeit zu zeigen,

- großen Leidensdruck auszuhalten,
- Motivation zur Änderung des Lebensplanes zu haben.

Prognose

Diese ist um so günstiger,
- je größer der Leidensdruck,
- je größer die Ich-Stärke,
- je besser die Motivation zur Änderung des Lebensplans,
- je besser die Introspektionsfähigkeit,
- je schwerer und jünger die symptomauslösende Situation,
- je geringer die Ideologiebildung,
- wenn wenig persistierende Frühsymptomatik vorliegt,
- wenn keine hoffnungslos verfahrene oder festgelegte äußere Situation vorliegt (Ehe, Beruf, unlösbare Verpflichtungen, Rente),
- wenn der Analysand jung ist (am besten zwischen 20 und 40).
- Körperliche Defekte sind erschwerende Faktoren.

Heilungsergebnisse

- Kriterium der Heilung ist Strukturwandel, nicht das Verschwinden der Symptome.
- Faustregel für die Allgemeinpraxis (bei guter Auswahl der Patienten):
  - 50% Strukturheilung,
  - 25% erhebliche Besserung,
  - 25% vorübergehende Entlastung.

Übertragung

Wachwerdende Motive werden unwillkürlich auf den Therapeuten bezogen, obwohl sie ursprünglich anderen Personen gegolten haben.
- Die Gegenwart wird unbewußt nach dem Muster der Vergangenheit umgedeutet.
- Affekte und Vorstellungen werden von einem Objekt auf das andere, von einer Situation auf die andere übertragen.
- Übertragung kommt zum Vorschein:
  - alle Einfälle und Empfindungen werden ausgesprochen,
  - kontrollierende Instanz (Analytiker im Hintergrund) wird ausgeschaltet,
  - Deutung des Analytikers schaltet Abwehrmechanismen aus.
- Übertragung ist ein normal-psychologischer Vorgang, der aber beim Neurotiker stereotyper abläuft – wegen der Starre der Erlebniswelt.
- Der Therapeut wird mit Qualitäten früherer Bezugspersonen ausgestattet:
  - Mimik,
  - Stimmungen,

- Affekte,
- Ängste,
- Hoffnungen.
- Erwartungen an Therapeuten:
  - Allmacht,
  - Allwissen,
  - Mißtrauen,
  - Lob, Ermunterungen,
  - Hilfe, Führung.
- Der Therapeut wird zentrale Bezugsfigur: eröffnet Möglichkeit des Analysanden, in unbewußte Schichten vorzudringen.
- Der Therapeut hält sich zurück, bleibt „unbekannt", um den Übertragungsprozeß sich entwickeln lassen zu können und nicht der „Spiegelhaltung" verlustig zu gehen. Damit würden wichtige Erlebnismöglichkeiten zunichte gemacht.
- Positive Übertragung (optimistische Stimmungen, Liebe):
  - Minimum erforderlich, um Analyse in Gang zu bringen,
  - dauert sie zu lange, bleibt als einzige, dann läuft die Analyse nicht oder der Patient verschweigt Aggressionen oder Aggressionen bleiben unbewußt (Widerstand).
- Negative Übertragung (Haß, Aggression, Ärger):
  - muß sich entfalten: der Patient braucht nicht mehr Kind zu sein und alles Böse zurückzuhalten.
- Übertragung kann Widerstand sein, ist Nachrichtenquelle über verschüttete Erinnerungswelt.
- Übertragung ist ein Versuch, mit jedem Objekt die Welt wiederherzustellen, die man genossen hat als Kind, die man vermißt.
- Übertragungsliebe, oft schwer von der realen zu unterscheiden;

Kriterien:
- hoher projektiver Anteil
- durch Widerstand besonders betont
- nimmt keine Rücksicht auf Realität;

Analytiker
- bleibt neutral,
- läßt sich nicht verführen,
- läßt sich nicht ängstlich zurückschrecken.

Übertragungsabläufe. (Nach Kohut 1987):
Übertragungsabläufe wiederholen Entwicklungsabläufe in umgekehrter Reihenfolge.

3 Stadien:
- Phase allgemein starker Widerstände mit nachfolgender Phase ödipaler Erfahrungen im traditionellen Sinn, dominiert von der Erfahrung schwerer Kastrationsangst („Ödipuskomplex");
- Phase sehr schwerer Widerstände mit nachfolgender Phase von Desintegrationsangst;

– Phase von meist milder Angst, abwechselnd mit Vorfreude, gefolgt von einer Phase des Beginns eines geschlechtsdifferenzierten, festen Selbst, das in eine erfüllende, produktiv-kreative Zukunft weist.

Literatur

Kohut H (1987) Wie heilt die Psychoanalyse? Suhrkamp, Frankfurt

Gegenübertragung

Übertragungsgefühle des Analytikers auf den Analysanden:
– Analytiker muß sich seiner (Haß- und Liebes)gefühle bewußt werden, um sie nicht auf den Analysanden zu übertragen.
– Ehrgeizhaltungen, Heilfanatismen schaden der Analyse.
– Abstinenzregel: keine eigenen unkontrollierten Wünsche und Bedürfnisse in die Analyse bringen.
– Bei Angst vor zu großer Gegenübertragung kann sich der Analytiker in Distanz retten (unbewältigte eigene Ängste).
– Es sollte keine Beziehung zwischen Analytiker und Analysand über die Stunde hinaus geben:
  · klar abgesteckter Beziehungsrahmen,
  · der Patient kann fühlen, ohne überschwemmt zu werden,
  · kann Antriebe erleben, ohne überwältigt zu werden,
  · kann Spannungen aushalten, ohne zerrissen zu werden.

Widerstand

– Der Widerstand hängt mit Übertragung zusammen (Angst, alles auszusprechen).
– Abwehrmechanismen schalten sich dazwischen.
– Der Patient muß lernen, Widerstand zu überwinden.
– Widerstandsanalyse durch Verstehen:
  · Warum setzt der Widerstand gerade jetzt ein?
  · Warum setzt er in dieser Weise ein?
  · Welche Angst steht dahinter?
– Widerstand ist notwendige Verhaltensweise, hat gesunde Funktion des Selbstschutzes; der Patient weiß nicht, daß Angst „verjährt" ist.

5 Formen des Widerstands:
– Widerstand des Es (unbewußtes Agieren):
  · unbewußtes Agieren unter Umgehung des Ich,
  · Strebungen des Es sollen befriedigt werden,
  · besondere Intensität der Partialtriebe („Zähflüssigkeit der Libido" nach Freud).

- Widerstand des Ich (a) Übertragung):
  · bezieht sich auf die Person des Analytikers,
  · keine eigenen Einfälle, nur Reaktionen auf die des Analytikers
  · Betroffener möchte Lieblingspatient sein.
- Widerstand des Ich (b) Verdrängung):
  · Bestreben, bestimmte Bilder und Inhalte zu verschweigen, v. a. peinliche, auch scheinbar unbedeutende.
- Widerstand des Ich (c) sekundärer Krankheitsgewinn):
  · Lustanteil des Symptoms (Waschzwang am Genitale gleich verkappte Onanie),
  · Ausweichen vor realen Lebensanforderungen,
  · narzißtische Befriedigung durch Zuwendung zum Kranken,
  · ideologische Befriedigung des Depressiven,
  · Neurose ist zur lieben Gewohnheit geworden.
- Widerstand des Über-Ich (negative Reaktion):
  · zutreffende Deutungen ins Gegenteil verkehrt (haben keine befreiende Wirkung),
  · Bestrafungstendenz: jeder reale Fortschritt muß mit vermehrtem neurotischen Leid bezahlt werden,
  · Gefahr der unendlichen langen Neurose und Analyse,
  · Therapeut wird zur strafenden Figur gemacht,
  · masochistische Lust.

Analytische Kurz- oder Fokaltherapie

- Hauptkonflikt (Fokus) wird bearbeitet,
- umgrenzter Bereich des Erlebens und Verhaltens,
- Fokus bestimmt Therapieplan,
- aktive Behandlungstechnik,
- Konfrontation des Patienten.

Vorgehen:
- Patient schildert Beschwerden,
- psychische Belastungssituationen breiter dargelegt,
- Arzt hört aufmerksam-empathisch zu,
- Arbeitsbündnis herstellen,
- Belastungsfaktoren aufnehmen und bearbeiten;
- Patient sucht selbst Konfliktlösungen:
  · Reaktionen auf Objektverlust,
  · narzißtische Kränkbarkeit,
  · Angewiesensein auf Schlüsselfiguren,
  · emotionale Ohnmacht;
- Therapeut (be-)deutet, sucht roten Faden, faßt zusammen.

Analytische Gruppentherapie

Definition: Latente pathogene Konflikte werden mit Hilfe der freien Assoziation erfaßt. Lösen der Konflikte durch:
1. deutende Bearbeitung von Übertragung und Widerstand,
2. Bewußtwerden der symbiotischen Bedürfnisse und Phantasien der Patienten.

Technik:
- zuerst Analyse des Einzelnen in der Gruppe (Gruppe hat dabei Verstärkerwirkung),
- dann Analyse der Gruppe als Ganzes (Gruppe als Person),
- bipersonale Beziehung: Therapeut – fiktives Gruppen-Ich.

Weitere Formen der Gruppenpsychotherapie (Übersicht)

(Siehe dazu die entsprechenden Abschnitte im Kapitel „Andere psychotherapeutische Verfahren".)

1. Aktivitätspsychotherapiegruppen: bei Kindern; Gestalttherapie nach Perls: Ausagieren der Affekte.
2. Direktiv-suggestive Gruppenpsychotherapie:
   - autogenes Training,
   - Gruppen werden gelenkt.
3. Psychodrama:
   - Rollenspielmethode,
   - persönlichkeitsspezifische Konflikte mit Rollen bearbeitet.
4. Sozialkommunikative Methode: Verbesserung der sozialen Wahrnehmung und Interaktion.

Ziel der Gruppenpsychotherapie (s. Abb. 9. 146, 147)

- Veränderung in einem Quadranten berührt alle anderen.
- Verbergen in der Interaktion heißt Energieaufwand.
- Vertrauen erhöht Erkennungsvermögen, Bedrohung vermindert es.
- Durch interpersonales Lernen vergrößert sich Quadrant I.
- Je kleiner Quadrant I ist, desto schlechter die Kommunikation.
- den andern respektieren; ihm erlauben, einen Bereich zu verbergen.
- Unbekannte Bereiche wecken Neugier; Sitten, Ängste halten sie in Schach.

146 Psychoanalytische Therapie

	Dem Selbst bekannt	Dem Selbst nicht bekannt	
	I Bereich der freien Aktivität	II Bereich des blinden Flecks	Dem anderen bekannt
	III Bereich des Vermeidens und Verbergens	IV Bereich der unbekannten Aktivität	Dem anderen nicht bekannt

↓ **Ziel**

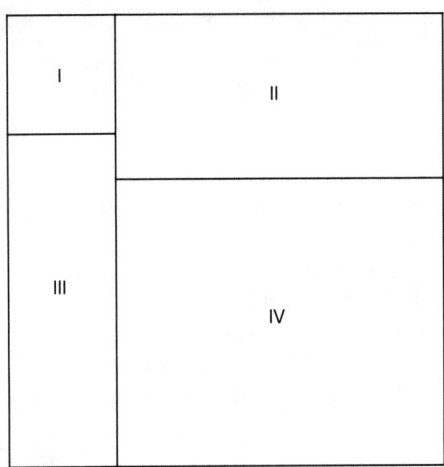

Beginnende Interaktion in einer neuen Gruppe

Interaktion zwischen Gruppen

	Der Gruppe bekannt	Der Gruppe nicht bekannt
Anderen Gruppen bekannt	I	II
Anderen Gruppen nicht bekannt	III	IV

Rangstruktur der Gruppenteilnehmer

1. *Alpha:* Repräsentanz der Aktion gegenüber dem Gegner: „Ich repräsentiere die Gruppe" – Oberhaupt, Anführer.
2. *Gamma:* Teilaspekt des Partizipierens, 3 Subpositionen:
   - identifikatorisch partizipierende Gammas: stimmen überein (Adjutant, Assistent),
   - komplementär partizipierende Gammas: ergänzen (Mitglied, Mitläufer),
   - kritisch überwachende partizipierende Gammas: eiferndes Überwachen (Beichtvater, Inquisitor).
3. *Beta:* Beteiligung mit Einschränkung, auf Distanz:
   - bedingtes Pro: „Ja, aber...",
   - bedingtes Kontra: „Nein, außer...",
   - Schwankende: „Teils... teils".

   Rolle von Fachmann, Trainer, Kritiker, Rezensent, grauer Eminenz.
4. *Omega:* Repräsentanz des Gegners, „Gegenalpha": Teilaspekt des Protestierens, auf der Basis der Schwäche (Sündenbock, Prügelknabe, Hofnarr).

Literatur

Argelander H (1968) Gruppenanalyse und Anwendung des Strukturmodells Psyche (Stuttgart) 22: 913–933
Balint M (1965) Psychotherapeutische Techniken in der Medizin. Klett, Stuttgart
Balint M (1973) Therapeutische Aspekte der Regression. Rowohlt, Reinbek
Balint M, Ornstein PH, Balint E (1973) Fokaltherapie. Suhrkamp, Frankfurt am Main
Beck D (1974) Die Kurzpsychotherapie. Huber, Bern
Bellack L, Small, L (1972) Kurzpsychotherapie und Notfallpsychotherapie. Suhrkamp, Frankfurt am Main
Dührssen A (1972) Analytische Psychotherapie in Theorie, Praxis und Ergebnissen. Vandenhoeck & Ruprecht (Verlag für Medizinische Psychologie), Göttingen
Freud S (1904) Über Psychotherapie. Imago, London, GW Bd 5, S 11–26
Freud S (1912) Ratschläge für den Arzt bei der psychoanalytischen Behandlung. GW Bd 8, S 375–387
Freud S (1919) Wege der psychoanalytischen Therapie. GW Bd 12, S 181–194
Greenson RR (1973) Technik und Praxis der Psychoanalyse. Klett, Stuttgart
Heigl-Evers A (1972) Konzepte der analytischen Gruppentherapie. Vandenhoeck & Ruprecht Verlag für Medizinische Psychologie, Göttingen

Heigl F (1987) Indikation und Prognose in Psychoanalyse und Psychotherapie. Vandenhoeck & Ruprecht (Verlag für Medizinische Psychologie), Göttingen
Heigl F, Triebel A (1977) Lernvorgänge in der psychoanalytischen Therapie. Huber, Bern
Hoffmann SO (Hrsg) (1983) Deutung und Beziehung. Kritische Beiträge zur Behandlungskonzeption und Technik der Psychoanalyse. Fischer, Frankfurt am Main
Kernberg OF (1978) Borderline-Störungen und pathologischer Narzißmus. Suhrkamp, Frankfurt am Main
Kernberg OF (1981) Objektbeziehungen und Praxis der Psychoanalyse. Klett, Stuttgart
Kohut H (1979) Die Heilung des Selbst. Suhrkamp, Frankfurt am Main
Kohut H (1987) Wie heilt die Psychoanalyse? Suhrkamp, Frankfurt am Main
Kutter P (1976) Elemente der Gruppentherapie. Vandenhoeck & Ruprecht, Verlag für Medizinische Psychologie, Göttingen
Loch W (1983) Die Krankheitslehre der Psychoanalyse. Hirzel, Stuttgart
Luft J (1973) Einführung in die Gruppendynamik. Klett, Stuttgart
Melan DH (1967) Psychoanalytische Kurztherapie. Huber, Bern/Klett, Stuttgart
Mertens W (1981) Psychoanalyse. Kohlhammer, Stuttgart
Peters UH (1977) Übertragung - Gegenübertragung. Kindler, München
Thomä H, Kächele H (1986) Lehrbuch der psychoanalytischen Therapie. Springer, Berlin Heidelberg New York Tokyo

Andere psychotherapeutische Verfahren

Ärztliches Gespräch

Richtlinien:
- Gesprächseröffnung mit einer allgemein gehaltenen Frage („Was führt Sie zu mir?");
- mehr offene als geschlossene Fragen stellen;
- erst zuhören, dann Fragen stellen;
- Fachausdrücke, Schlagwörter, Wertungen vermeiden;
- Monologe durch Gespräch ersetzen;
- selber ruhig sein, sich nicht stören lassen;
- eigene Gefühlregungen im Gespräch beachten;
- Gesundungswillen und Motivation des Patienten vorsichtig stärken;
- Beruhigungen nur gezielt und sparsam einsetzen;
- „Arbeitsbündnis" stärken;
- beiderseitige Verantwortung zum Ausdruck bringen;
- nachfragen, ob der Patient alles verstanden hat;
- das Wichtigste im Gespräch zusammenfassen;
- sich nicht durch einseitige Symptomorientierung verleiten lassen;
- das Gespräch strukturieren, aber nicht einengen;
- sich mit seinen Einwänden auf den situativen Zusammenhang einstellen.

Ziele (s. auch Kap. „Diagnostisches Vorgehen"):
- Diagnostische Orientierung über Beschwerden, Symptome, Störungen hinsichtlich einer nosologischen Einordnung;
- Beantwortung der Frage, ob ein Zusammenhang zwischen der Symptomatik und Konflikten der Lebensgeschichte besteht;
- einen biographischen Überblick verschaffen;
- Bild der Persönlichkeitsstruktur erarbeiten;
- prognostische Abklärung hinsichtlich der Therapierbarkeit des Beschwerdebildes;
- Aufstellen eines Behandlungsplans.

Literatur

Adler R, Hemmeler W (1986) Praxis und Theorie der Anamnese. Huber, Bern
Argelander H (1970) Das Erstinterview in der Psychotherapie. Wissenschaftliche Buchgesellschaft, Darmstadt
Wesiack W (1980) Psychoanalyse und praktische Medizin. Klett, Stuttgart

Andere psychotherapeutische Verfahren

Gesprächspsychotherapie

„Klientenzentrierte Therapie" (Rogers 1977)

Grundannahme/Besonderheiten:
- Jeder Mensch besitzt Kräfte genug, seine eigenen Probleme zu lösen. Die Kräfte müssen aber erst gelockert und befreit werden.
- Eine spezielle Neurosenlehre fehlt.
- Mischform zwischen konfliktzentrierten, übenden und erlebnisorientierten Psychotherapieverfahren.

Therapieziele:
- Verbesserung seelischer Funktionsfähigkeit im emotionalen und sozialen Bereich;
- größere Selbstachtung, Selbstannahme, Selbstaktualisierung.

Zur Technik:
- Betonung des Hier und Jetzt.
- Der Therapeut bemüht sich, die kognitiven Möglichkeiten des Klienten zu erweitern.
- Der Therapeut bringt dem Klienten viel Wärme, Einfühlung, Verständnis entgegen.
- Der Therapeut ermuntert den Klienten in permissiver, nichtdirektiver Weise, Probleme und Gefühle frei in Worte zu fassen.
- Der Therapeut faßt das Verstandene in Worte.
- Keine Versuche der Interpretation, Deutung, Überredung.
- Entwicklung von Strategien zur Problembewältigung.
- Der Therapeut fordert den Klienten auf, sich angstmachende Situationen vorzustellen.
- Dem Klienten wird nur sein Verhalten und Erleben „gegenübergestellt" (konfrontierendes „Spiegeln" nach Rogers).

Therapieerfolg bei folgenden Therapeuteneigenschaften:
- Anteilnahme, Achtung, Wärme;
- Verbalisieren des geäußerten emotionalen Erlebnisverhaltens des Klienten;
- Echtheit in der Selbstdarstellung;
- Fähigkeit zur Selbstöffnung.

Grundhaltung des Therapeuten:
- Akzeptanz (vorbehaltloses Wahrnehmen und Respektieren des Klienten);
- Empathie (emotionales Zugewandtsein, einfühlendes Verstehen);
- Kongruenz (befindet sich in Übereinstimmung mit dem, wie er es erlebt; offen für seine Selbstwahrnehmung und bereit, dieses Erleben seinem Klienten mitzuteilen).

Literatur

Gerl W (1983) Klientenzentrierte Psychotherapie (Gesprächspsychotherapie). In: Kraiker C, Burkhard P (Hrsg) Psychotherapieführer. Beck, München
Rogers C (1977) Therapeut und Klient. Kindler, München
Wendlin ET (1980) Focussing. Müller, Salzburg

Logotherapie

Definition: Methode nach Viktor E. Frankl, die auf der Sehnsucht nach dem Sinn des Menschen beruht und seelische Konflikte als Sinndefizite interpretiert. Die Methode ist beratend (auch persuasiv) und direktiv.

Besonderheiten:
- Die individuellen Sinn- und Wertmöglichkeiten werden im Rahmen der Biographie besonders beachtet.
- Frankl stellt neben den „Willen zur Macht" (Adler) und den „Willen zur Lust" (Freud) den „Willen zum Sinn".
- Bei unerfülltem oder falsch erfülltem Sinn kommt es zur „existentiellen Frustration".
- Sinn des Seins:
  · ungestörtes Schaffen, Erleben, Lieben,
  · Erleiden des Schicksals (Ertragenkönnen).
- Behandlung der „existentiellen Frustration", um das „existentielle Vakuum" aufzufüllen, mit „Logotherapie":
  · Logos (im Unbewußten vorhandenes „Geistiges"): Sinn der personalen Existenz, der analytisch erhellt werden soll;
  · Ermutigung zum Annehmen des Schicksals („Mut zum Leiden");
  · Auffinden des „Daseinssinns".
- Vorgehen u. a. mit der „paradoxen Intention":
  · Der Leidende wird aufgefordert, sich intensiv das zu wünschen, was er befürchtet;
  · dadurch Distanzierung von der neurotischen Angst (anwendbar besonders bei phobischer, anankastischer und Erwartungsangst).

Literatur

Frankl VE (1966) Ärztliche Seelsorge. Grundlagen der Logotherapie und Existenzanalyse. Deuticke, Wien
Frankl VE (1967) Logotherapie und ihre klinische Anwendung. Wien Klin Wochenschr 117: 1139-1143

Katathymes Bilderleben

Definition: Das katathyme Bilderleben ist eine psychotherapeutische Methode, die nach tiefenpsychologischen Gesichtspunkten strukturiert ist. Primäre Grundlage ist die Imaginationsfähigkeit des Menschen.

Andere psychotherapeutische Verfahren

Besonderheiten:
„Katathymer Zustand" gekennzeichnet durch:
- Senkung und gleichzeitig Einengung des Bewußtseins,
- Erhöhung der Suggestibilität,
- Aufhebung des Zeitgefühls,
- Schwächung der rationalen Anteile der Abwehr,
- „kontrollierte Ich-Regression",
- Abgabe der reifen Ich-Funktionen an den Therapeuten,
- Vertiefung der Versenkung durch die Imagination.

Wirkungsweise: (Die imaginativen Inhalte werden von 3 Determinanten bestimmt:
- die unbekannte/unbewußte, das Bild gestaltende Affektkonstellation,
- die genannte/bewußte Motivvorstellung als Kristallisationskern für die konfliktträchtige Projektion,
- die angesichts der Bilder aufkommende Gefühlstönung, die als Indiz für den Zusammenhang zwischen Symptom und Symbol gelten kann.

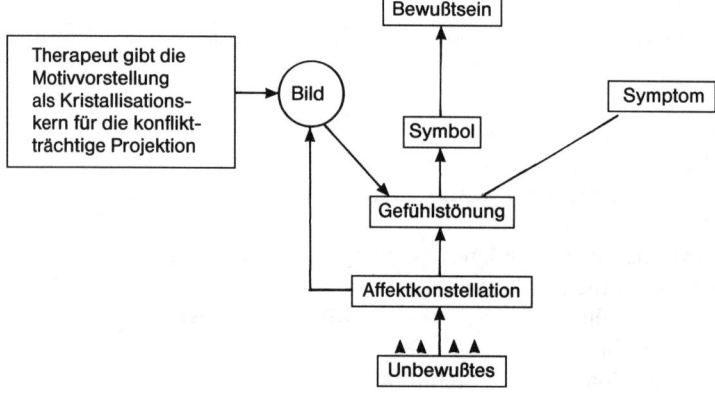

Literatur

Krapf G (1977) Das katathyme Bild-Erleben. Fortschr Med 95: 2603–2612
Leuner H (Hrsg) (1980) Katathymes Bilderleben. Huber, Bern

Psychodrama

Definition: Es handelt sich um eine erlebnisorientierte, auf Moreno zurückgehende Psychotherapieform, die aus den spontanen Rollen- und Stegreifspielen von Kindern abgeleitet ist.

Verlauf in 3 Phasen:
- Erwärmungsphase, Erinnern und Sammeln von Erlebnis- und Konfliktmaterial.
- Spielphase: mit psychokathartischer Zielsetzung; durch Wiederholen im Rollenspiel wird emotionale Erfahrung gewonnen.

- Integrationsphase: mit analytisch-kommunikativer Zielsetzung und Vermittlung rationaler Einsichten.

Literatur

Leutz A (1974) Das klassische Psychodrama nach J.L.Moreno. Springer, Berlin Heidelberg New York

Yablonski L (1978) Psychodrama. Die Lösung emotionaler Probleme durch das Rollenspiel. Klett, Stuttgart

Transaktionsanalyse

Definition: Verbaler oder nichtverbaler Austausch von Information zwischen 2 Personen, 2 Ich-Zuständen.

Zuwendung (Stimulus, der von einem anderen Menschen ausgeht):
- positiv: „Du bist o.k.",
- negativ: „Du bist nicht o.k.".
  Vier Grundhaltungen:
  - „Ich bin o.k."   - „Du bist o.k."
  - „Ich bin nicht o.k."   - „Du bist o.k."
  - „Ich bin o.k."   - „Du bist nicht o.k."
  - „Ich bin nicht o.k."   - „Du bist nicht o.k."

  „Entscheidung" über die Grundhaltung „Ich bin o.k." oder „Ich bin nicht o.k." wird in der frühen Kindheit getroffen.
  Neue Entscheidungen können vom Erwachsenen-Ich zusammen mit dem Kind-Ich getroffen werden (therapeutischer Ansatz).
- *„Rabattmarken sammeln":* negative Gefühle bei Transaktionen „sammeln" und eines Tages gegen Depressionen „eintauschen".
- *Strukturanalyse:* Erkennen verschiedener Ich-Zustände (die rasch wechseln können).
- *Spielanalyse:* Spiele als in sich geschlossene, wiederholbare Kommunikationsmuster mit berechenbarem Ausgang.
  Positionen: Opfer, Retter, Verfolger.
- *Skriptanalyse:* Skript=Lebensmanuskript=Leben von einem Manuskript gestaltet, von Eltern übernommen (oft von Namensgebung ausgehend); Skriptgefühle verleihen Geborgenheit, können aber eigene Freiheit einengen.
- *Ziel der Therapie:* Aufdecken der echten Gefühle (des wahren Selbst).

Persönlichkeit in einem Strukturdiagramm

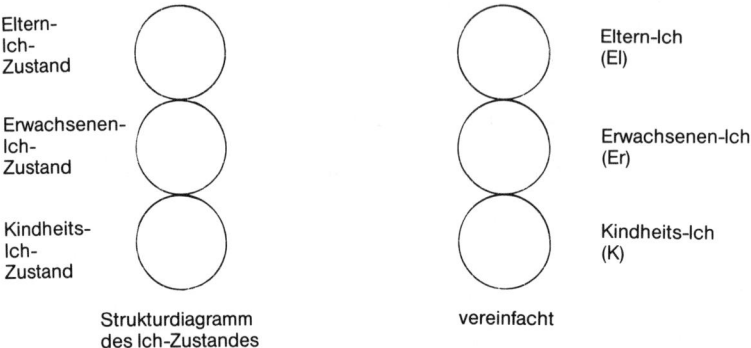

- *Eltern-Ich:* Inhalte entstehen bis zum 6. Lebensjahr (alle aufokroyierten, ungeprüften äußeren Ereignisse); enthält Einstellungen und Verhaltensweisen, die von äußeren Vorbildern übernommen wurden:
  - Ermahnungen, Regeln, Verbote, Gebote,
  - Botschaften (werden als Wahrheit aufgenommen!!),
  - Inhalte oft wie „Gebrauchsanweisungen".
- *Erwachsenen-Ich:*
  - hat nichts mit Alter zu tun,
  - objektives Sammeln von Informationen,
  - geordnet, anpassungsfähig, intelligent,
  - überprüft die Realität, schätzt Wahrscheinlichkeiten ein,
  - verarbeitet alles leidenschaftslos,
  - überprüft, ob Angaben aus Eltern-Ich stimmen, ob Gefühle aus dem Kindheits-Ich angemessen sind.
- *Kindheits-Ich:*
  - alle Impulse, die ein Kind von Natur aus hat sowie Aufzeichnungen früher Erfahrungen und der Reaktion darauf;
  - Reaktionen des kleinen Menschen auf das, was er sieht und fühlt; wenn Zorn stärker als Vernunft, gewinnen Gefühle die Oberhand;
  - positive Seiten wie Neugier, Kreativität, Abenteuerlust, Wissensdrang, Lust am Berühren, Fühlen usw.

Transaktionsanalyse 155

Eltern-Ich

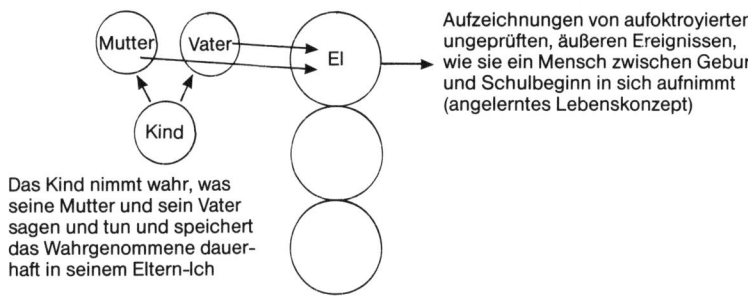

Entstehung des Erwachsenen-Ich (ab 10. Monat)

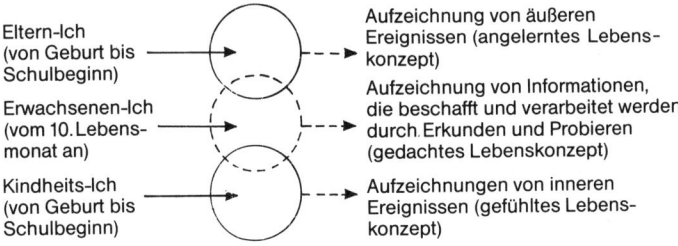

Kindheits-Ich

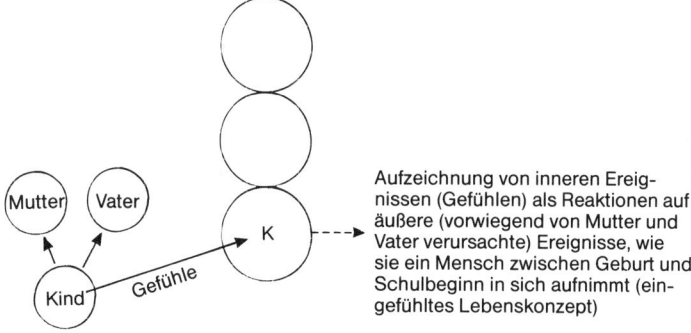

156 Andere psychotherapeutische Verfahren

Komplementärtransaktion (Erwachsenen-Ich – Erwachsenen-Ich)

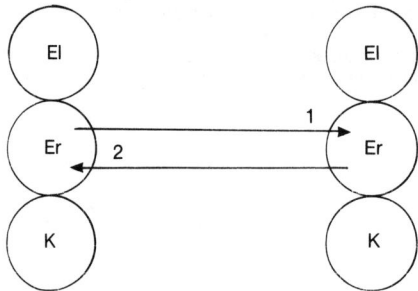

Beispiel:
1. „Aus welch einem Material besteht bei Ihrem Produkt der Dichtungsring?"
2. „Aus Karaya."

Überkreuztransaktion

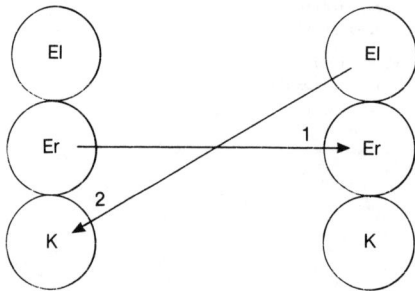

Beispiel:
Ehemann: „Weißt du vielleicht, wo ich meine Uhr heute hingelegt habe?"
Ehefrau: „Immer mit deiner Uhr. Leg sie doch auf einen bestimmten Platz, dann verlierst du sie auch nicht. Kümmere du dich doch um deine Sachen."

Verdeckte Transaktion

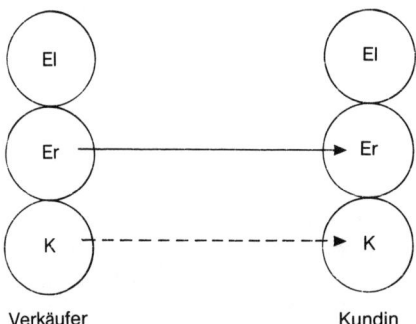

Beispiele:
1. Wenn ein Mantelverkäufer in einem Pelzgeschäft zu einer Kundin sagt: „Dieses hier ist zweifellos unser schönster Mantel, und passen würde er Ihnen auch wunderbar. Aber ich denke, der ist Ihnen wohl zu teuer", spricht er das Erwachsenen- wie das Kindheits-Ich an. Die Kundin würde mit ihrem Erwachsenen-Ich antworten: „Ach, Sie haben mir die Anregung dazu gegeben, einen so teuren Mantel brauche ich wirklich nicht, wo ich mit meinen kleinen Kindern im Augenblick doch nicht so viel fortgehen kann". Das Kindheits-Ich der Kundin würde vielleicht antworten: „O ja, da sehe ich immer hübsch drin aus, alle bewundern mich, und warm bin ich auch immer darin."
2. Autoverkäufer: „Das ist unser bester Sportwagen, aber der ist Ihnen sicher zu schnell."
Kunde (im Erwachsenen-Ich): „Sie haben recht, solch einen schnellen Wagen brauche ich in meinem Beruf nicht."
(im Kindheits-Ich): „Den Wagen nehme ich. Er ist genau der, den ich wollte".

Zweiebenen- oder Duplextransaktion

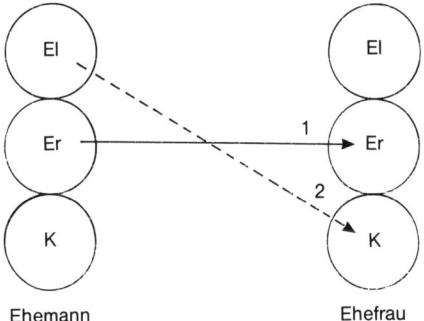

Beispiel:
Ehemann: „Wo hast Du den Bierflaschenöffner versteckt?" Hinter dem Wort „versteckt" liegt ein Reizwort mit dem Hintersinn: der Haushalt ist mies geführt – wenn ich meine Arbeit so angehen würde, wo käme ich da hin.

Der Hauptreiz kommt aus dem Erwachsenen-Ich: er sucht Information. Den Hintersinn liefert das Eltern-Ich.

Erwachsenen-Ich blockiert oder außer Dienst gestellt (Psychose)

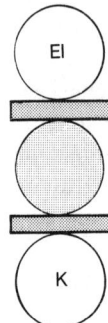

- Fehlende Realitäts-Wahrnehmung,
- Erwachsenen-Ich nicht funktionsfähig,
- Eltern-Ich und Kindheits-Ich äußern sich direkt, wirres Durcheinander ...

Erwachsenen-Ich durch Kindheits-Ich getrübt, Eltern-Ich dabei blockiert (Psychopath)

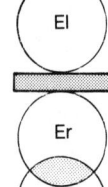

- Trübung des Erwachsenen-Ich durch das Kindheits-Ich bei Blokkade des Eltern-Ich,
- gefährlich für Gesellschaft,
- Mensch ohne Gewissen, Psychopath,
- Erkennungsmerkmale: Mensch ohne Scham, Reue, Verlegenheit, Schuld.

Erwachsenen-Ich durch Eltern-Ich getrübt, mit blockiertem Kindheits-Ich

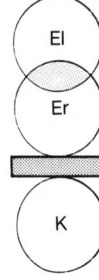

- Unfähigkeit zu spielen,
- Blockierung kindlicher Impulse,
- Angleichung des Erwachsenen-Ich an das Eltern-Ich („Werde endlich erwachsen.", „Kinder soll man sehen, nicht hören". „Geh in dein Zimmer!"),
- völlige Anpassung, Fleiß, Anstrengung, Unterwürfigkeit, Befehlserfüllung.

Literatur

Berne E (1967) Spiele der Erwachsenen. Rowohlt, Reinbek
Berne E (1972) Was sagen Sie, wenn Sie guten Tag gesagt haben? Kindler, München
English F (1976) Transaktionale Analyse und Skriptanalyse. Altmann, Hamburg
Harris TA (1982) Ich bin o.k. - Du bist o.k. Rowohlt, Reinbek
James M, Jongeward D (1974) Spontan leben. Rowohlt, Reinbek

Gestalttherapie

Definition: Methode nach Fritz Perls auf der Grundlage der humanistischen Psychologie und der Gestaltpsychologie.
Die in sich gespaltene, mit Anteilen des Selbst im Widerstreit liegende Persönlichkeit soll durch autonom zu verarbeitende Erfahrung in Harmonie mit sich selbst und der Umwelt kommen. Verschiedene Techniken reichen von gruppendynamischen bis zu religiös fundierten Verfahren.

- Gestalttherapie ist nicht nur Therapie, sondern auch existentialistische Lebensphilosophie:
    - es gibt für das Individuum keine verbindliche Norm,
    - Betonung der Selbstverantwortung;
    - „Akzeptiere dich wie du bist und du wirst dich ändern" (Perls 1973).
- Erleben:
    - Untersucht das aktuelle Erleben und die Blockaden,
    - Erfahrung neuer Reaktionsmuster,
    - Kontaktfähigkeit wieder herstellen.
- Wahrnehmung:
    - Förderung der Wahrnehmung der inneren und äußeren Realität;
    - Kontakt mit eigenen Bedürfnissen und Empfindungen schafft Erleichterung und ermöglicht eine positive Beziehung zum Gegenüber.
- Selbstunterstützung:
    - Individuum aus seinen bequemen Haltungen der vermeintlichen Abhängigkeit vom anderen lösen (Symptome sind bequem, weil sie entlasten).
    - Der Neurotiker wird angehalten, für die affektiven Beeinträchtigungen, die er der Umwelt anlastet, selbst die Verantwortung zu übernehmen und sich gegen die Einschränkungen zu entscheiden, die er sich selbst auferlegt.

Vorgehen

- Der Therapeut wirkt konfrontativ;
- er hält den Klienten an, sich negative und positive Regungen zuzugestehen und sie zu durchleben.
- Wo vermeidet der Klient Gefühle?
- Frustration als Weg zur Heilung;
- der Klient lernt durch die negativen Erfahrungen.

Regeln

- Bleibe beim Hier und Jetzt.
- Bleibe bei deinen Gefühlen.
- Sei dein eigener Steuermann
  (mach, was du willst; du bist aber dafür verantwortlich).
- Aussagen sind besser als Fragen.
- Sage „ich" statt „man" und „wir".
- Sprich den anderen direkt an.
- Teile Körperempfindungen mit.

Andere psychotherapeutische Verfahren

Literatur

Perls FS (1973) Grundlagen der Gestalt-Therapie. Pfeiffer, München.
Polster E, Polster M (1973) Gestalttherapie. Kindler, München.
Revenstorf D (1983) Gestalttherapie. In: Kraiker C, Peter B (Hrsg) Psychotherapieführer. Beck, München

Bioenergetik

Definition: Körperarbeit nach Alexander Lowen auf der Basis der Psychologie Wilhelm Reichs.

Konzept: Seelische Energie bewegt sich in körperlichen Strömungen. Die Blokkade löst seelische Störungen aus. Erlebnistechniken und Massage sollen den Energiefluß befreien und ihn dem Patienten erfahrbar machen.
- „Bioenergie" entspricht „Orgon" bei Reich (Ausg. 1970);
- Mensch wird als energetisches System begriffen;
- durch aufgeladene, nicht abgeführte Energie kommt es zu Muskelverspannungen und zum
- „Charakterpanzer", zur
- Unterdrückung der Sexualinstinkte zugunsten des Machtstrebens;
- Energiefluß und -blockierung bestimmt die Art und Weise wie ein Mensch denkt, spricht, geht, fühlt, zu seinem Körper steht, Kontakte herstellt, Symptome entwickelt;
- die körperorientierte Psychotherapie soll zu einer grundsätzlichen, strukturellen Veränderung des Klienten führen;
- keine Symptombehandlung.

Literatur

Lowen A (1979) Bio-Energetik. Therapie der Seele durch Arbeit mit dem Körper. Rowohlt, Reinbek
Reich W (1970) Charakteranalyse. Fischer, Frankfurt

Primärtherapie

Definition: Tiefenpsychologische Methode nach Arthur Janov, mit suggestiven und autosuggestiven Techniken extreme Gefühlserlebnisse (Katharsis) hervorzurufen, die als Wiedererleben des Geburtsschmerzes gedeutet werden. Die therapeutische Wirkung wird von der Abfuhr des „abgewehrten" Schmerzes erwartet. Außerdem spielt das suggestiv erzeugte „Wiedererleben der Geburt" und die angebliche Rückführung in intrauterine Erlebnisse eine Rolle.

Besonderheiten:
- Ähnlichkeiten mit der Neurosentheorie der frühen Psychoanalyse.
- *Theorie:*
  · Jedes Trauma (körperlich wie seelisch) hinterläßt eine Art Schmerzenergie im Organismus („Primär"- oder „Urschmerz").
  · In unserer Gesellschaft wird jedes Kind traumatisiert.
  · Die Schmerzenergie wird verdrängt und verursacht Muskelspannungen.
  · Muskelspannungen und neurotische Symptome, die damit zusammenhängen, können durch „Primär"- bzw. „Urerlebnisse" beseitigt werden.
- *Methodik:*
  · schallisolierter Raum,
  · Liegen auf Matten,
  · Erzählen und Vertiefen in Erfahrungen der frühen Kindheit mit der Aufforderung, sich besonders in schmerzliche Erinnerungen fallen zu lassen,
  · Nacherleben (schmerzhafter) kindlicher Erfahrungen,
  · Prozeß wird gefördert durch Aufforderung zu hyperventilieren.

Literatur

Görres A (1976) Der Urschmerz als Streßfaktor. Die Primärtherapie Arthur Janovs und die Streßforschung. In: Eiff AW (Hrsg) Seelische und körperliche Störungen durch Streß. Thieme, Stuttgart New York
Janov A (1981) Gefangen im Schmerz – Befreiung durch seelische Kräfte. Fischer, Frankfurt

Verhaltenstherapie

Systematische Desensibilisierung:
- *Vorgehen:*
  1. Analyse der Faktoren, die für das Auftreten von Angst erforderlich sind.
  2. Erstellung einer Hierarchie von angstauslösenden Situationen.
  3. Entspannungstraining (z. B. progressive Muskelentspannung, Autogenes Training, Atemübungen).
  4. Imaginatives Durcharbeiten der Hierarchie in entspanntem Zustand.
- *Verwendete Prinzipien:*
  1. Prinzip des mentalen Trainings:
     · Gedanken und Vorstellungen können bis zu einem gewissen Grad die Realität vertreten,
     · Fertigkeiten können in der Vorstellung geübt werden.
  2. Prinzip der Gewöhnung durch Konfrontation:
     · man kann Angst verlieren, wenn man sich der Situation stellt.
  3. Prinzip der allmählichen Annäherung (sukzessive Approximation):
     · sich den Problemen stellen (von harmlosen zu schwierigen Situationen voranschreitend).

Andere psychotherapeutische Verfahren

- *Zusätzliche Techniken:*
  - Konfrontation in vivo (Übungen in der Realität, nicht nur in der Vorstellung),
  - Einübung von Bewältigungsstrategien (Handlungs- und Gesprächsstrategien werden erarbeitet und in verschiedenen Versionen durchprobiert),
  - Modellernen (Lernen durch Imitation; Vorbild = Modell),
  - Selbstinstruktionstraining (z.B. negative Selbstgespräche in positive umformulieren),
  - forcierte Konfrontation, Reizüberflutung (starke Erregungen und Ängste aushalten),
  - Aversionstechniken (z.B. bei Alkoholismus, Rauchen)
  - negative Übung (Extinktion bedingter Reflexe, z.B. bei Tics, dadurch, daß man den Pat. dazu bringt, willentlich das zu tun, was er eigentlich nicht will: *paradoxe Intention*).

Verhaltensmodifikation (operante Verfahren): Mittel dazu
- Belohnung (Verstärkung),
- Bestrafung (Abschwächung),
- Selbstkontrolle (Fähigkeit zur Selbststeuerung, überlegte Lenkung des eigenen Verhaltens).

Anwendungsgebiete:
- Training von Basisfertigkeiten bei retardierten Kindern (selbst essen, sich anziehen ...),
- bei chronisch psychotischen Patienten (Wiederherstellung verloren gegangener Fähigkeiten),
- als Selbstsicherheitstraining.

Literatur

Blöschl L (1970) Grundlagen und Methoden der Verhaltenstherapie. Huber, Bern
Fliegel S (1981) Verhaltenstherapeutische Standardmethoden. Urban & Schwarzenberg, München
Kraiker C (1983) Verhaltenstherapie. In: Kraiker C, Burkhardt P (Hrsg) Psychotherapieführer. Beck, München
Miltner W, Birbaumer N, Gerber WD (1986) Verhaltensmedizin. Springer, Berlin Heidelberg New York Tokyo

Biofeedback

Definition: Rückmeldung über den Ablauf von Körperfunktionen (Hirnströme, Herzschlag usw.) mit technischen Mitteln. Der Patient trainiert die Selbstbeeinflussung.

Besonderheiten:
- Aktive Kontrolle sichtbar gemachter unbewußt ablaufender vegetativer Funktionen;
- Unterbrechung der psychophysiologischen Regelkreise mit Herabsetzung des allgemeinen Erregungsniveaus;

- Kontrolle mit Hilfe eines elektronischen Gerätes;
- optische und akustische Rückmeldung von Muskelaktivität, Atmung, Gefäßdurchblutung, Hautwiderstand, Herzfrequenz, Hirnwellen;
- Wirkungsprinzip der Desensibilisierung als Konditionierung auf Entspannung (operante Konditionierung: Lernen am Erfolg).
- Ablauf in 2 Phasen:
  · Erarbeiten und Definieren des Lernkriteriums,
  · Konditionierungsphase mit Einsatz der Reduzierung von z. B. Muskelspannungen;
- besonderer Stellenwert bei
  · der Schmerztherapie,
  · als Atemfeedback,
  · Entspannung allgemein,
  · natürlichem Feedback ohne Geräte (autogenes Training).

Anwendungsgebiete:
- Spannungskopfschmerz, Migräne,
- HWS-Syndrom,
- spastischer Schiefhals,
- Stottern, Tremor, Tics,
- Bluthochdruck,
- Herzangst,
- Magengeschwüre,
- chronische Obstipation,
- Impotenz, Vaginismus,
- Schlafstörung,
- epileptische Anfälle.

Wirkungsprinzip

Hypersensibilisierung durch negative Konditionierung

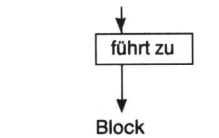
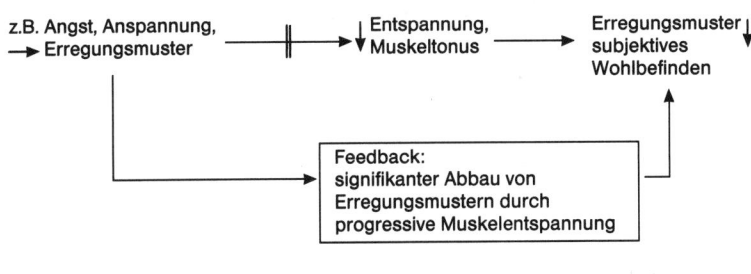

Literatur

Budzynski TH, Stoya JM, Adler CS, Mullaney D (1973) EMG biofeedback and tension headache: a controlled outcome study. Psychosom Med 35: 484–496

Miltner W, Birbaumer N, Gerber WD (1986) Verhaltensmedizin. Springer, Berlin Heidelberg New York Tokyo

Schenk C (1985) Biofeedback – eine neue Heilmethode bei psychosomatischen Erkrankungen. Med Prax 80: 16–24

Themenzentrierte Interaktion

Schema (nach Cohn 1979)

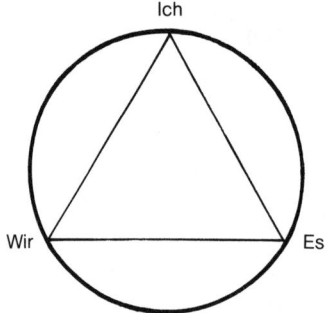

1. Sei dein eigener Chairmann.
2. Störungen haben Vorrang.
3. Achte auf Körpersignale.
4. Sage „ich" statt „man" und „wir".
5. Aussagen sind besser als Fragen.
6. Wem möchtest Du etwas geben, von wem möchtest Du etwas bekommen?
7. Versuche einmal eine andere Rolle.

– „Living learning",
– persönliche Beteiligung,
– Gefühle wahrnehmen.

Literatur

Cohn R (1979) Themenzentrierte Interaktion. Kindler, Zürich

Familientherapie

Definition: Gegenstand der Behandlung ist das Miteinanderumgehen zwischen Individuen in einer natürlichen Gruppe:
– Krankheit als Ausdruck einer Kommunikationsstörung,
– *aber auch:* jede Krankheit belastet das Familiensystem.

Aufgaben:
– Erstellung einer Diagnose (betrifft das Problem ein Mitglied oder die ganze Familie?),
– Veränderung der krankmachenden Beziehungen.

Therapiekonzept: Fünf Perspektiven:
- bezogene Individuation (Bindung und Ausstoßung),
- Delegation (Aufladen von Problemen),
- Vermächtnis,
- Verdienst,
- Gegenseitigkeit („maligner Clinch").

Indikationen:
1. Psychosomatik:
   - Anorexia nervosa,
   - Colitis ulcerosa, M. Crohn,
   - Asthma bronchiale,
   - Herzphobie,
   - Herzinfarkt,
   - Diabetes mellitus,
   - je nach Familiensituation;
2. Psychiatrie:
   - Schizophrenie,
   - Drogenabhängigkeit;
3. Adoleszentenkrisen.

Literatur

Cierpka M (Hrsg) (1987) Familiendiagnostik. Springer, Berlin Heidelberg New York Tokyo
Minuchin S (1977) Familie und Familientherapie. Lambertus, Freiburg
Wirsching M, Stierlin H (1982) Krankheit und Familie. Klett, Stuttgart

Autogenes Training

Definition: Autogenes Training ist stumm, bedient sich aber der gedanklichen Vorstellung. Jedes Wort hat eine Wirkung. Jede gedankliche Vorstellung ist ein Wort für sich selbst. *Folge:* Ein an sich selbst gerichteter Gedanke muß eine Wirkung haben (z. B. Pendelversuch).

Ziel des AT:
- Entspannung, tiefgehende Beruhigung;
- durch vermehrte Selbstkontrolle besseres Umgehen mit den eigenen Möglichkeiten.
- Resonanzdämpfung der Affekte,
- Schmerzbekämpfung,
- vertiefte Innenschau mit Selbsterkenntnis (Ansatz zu Problembewältigungen),
- neue Wege der Selbstbesinnung und Selbstentfaltung,
- Leistungssteigerung,
- Verbesserung des Körpergefühls.

Andere psychotherapeutische Verfahren

Wirkungsweise:
- Probleme werden aus anderer Perspektive angeschaut,
- durch innere Ruhetönung Abbau von Spannung und Enge,
- Circulus vitiosus von Unruhe-Spannung-Enge-Angst wird unterbrochen.

Voraussetzungen:
- Grundmaß an Intelligenz,
- bei Kindern ab 8.-10. Lebensjahr,
- Bereitwilligkeit,
- Stetigkeit,
- Sympathie (zwischen Arzt und Patient),
- Motivation,
- gewisser Leidensdruck.

Gesundes wird gestärkt, Ungesundes gemindert oder abgebaut.

Literatur

Eberlein G (1985) Autogenes Training für Kinder. Springer, Berlin Heidelberg New York Tokyo
Eberlein G (1987) Autogenes Training. Lernen und Lehren. Springer, Berlin Heidelberg New York Tokyo
Krapf G (1973) Autogenes Training aus der Praxis. König, München
Schultz JH (1950) Das autogene Training. Thieme, Stuttgart

Hypnose

Definition: Durch Suggestion herbeigeführter schlafähnlicher Zustand.
- Bewußtsein eingeengt,
- besonderer Kontakt zum Hypnotiseur (Rapport),
- Befolgung der Anweisungen nach Auflösung dieses Zustands (posthypnotischer Auftrag).

Besonderheiten:
- Bei einem gesunden Probanden können folgende Phänomene bewirkt werden:
  - totale posthypnotische Amnesie (evtl. mit zeitlicher Begrenzung),
  - Ausführung des Auftrags zu einer bestimmten Zeit,
  - Auslösung körperlicher Störungen (z.B. Brandblase),
  - Auslösung von Affekten (z.B. Angst, Ekel, Trauer),
  - Wecken von Grundantrieben (z.B. Hunger),
  - Veränderung der Funktionen der Sinnesorgane (Gehör, Geruch),
  - Beeinflussung der Sensibilität (Juckreiz),
  - Veränderung der Motorik (Lähmungen),
  - Vasokonstriktion oder -dilatation,
  - Steigerung der Magensaftproduktion,
  - Änderung des Menstruationszyklus,
  - Beeinflussung des Mineralstoffwechsels,

· Senkung des Blutkalziumspiegels,
  · Auslösung von Fieber.
- Experimente sind wiederholbar (Eignung der Methode für experimentelle Forschungen).
- Wichtig ist das Erleben der „realen Situation" (z. B. einer Verbrennung), nicht der kategorische Befehl: sinnliche Anschaulichkeit und intensive Affektbesetzung sind Voraussetzung für die Verwirklichung der Experimente.
- Indikationen:
  · Kopfschmerzen, Obstipation (Suggestion gegen ein Symptom),
  · Bewußtmachen verdrängter Erlebnisse (Hypnokatharsis),
  · als Heilschlaf (hypnotisch herbeigeführter Schlaf).

Literatur

Kemper W (1954/55) Erwägungen zur psychosomatischen Medizin. Z Psychosom Med 1: 38–44

Stocksmeier U (1984) Lehrbuch der Hypnose. Karger, Basel

Konzentrative Bewegungstherapie

Definition: Körperorientierte psychotherapeutische Methode, bei der Wahrnehmung und Bewegung als Grundlage des Denkens, Fühlens und Handelns genutzt werden.

Besonderheiten:
- Proband konzentriert sich auf den eigenen Körper;
- es geht um die Erfahrung äußerer Objekte im aktiven Erspüren, Ertasten, Bewegen;
- meist als Gruppenübung;
- steigert das Selbstwertgefühl;
- konzentrative Beschäftigung mit frühen Erfahrungsebenen (einfühlend und handelnd);
- Belebung von Erinnerungen, die sich im körperlichen Ausdruck als Haltung, Bewegung, Verhalten zeigen;
- Förderung der Wahrnehmungsfähigkeit der Sinne;
- differenzierte Beschäftigung mit dem eigenen Körper.

Indikationsgebiete:
- bei psychosomatischen Beschwerden zusätzlich zu verbalen Verfahren,
- bei „alexithymen" Patienten, die schwer Zugang zu ihren Gefühlen finden,
- bei Patienten mit gestörtem Körperschema,
- Motivationsstärkung für psychotherapeutisch-aufdeckende Verfahren.

Ziele:
- Förderung des Selbstverständnisses und des Selbstbewußtseins,
- Vermittlung von Sinnhaftigkeit,

- Berücksichtigung psychodynamischer Faktoren,
- Anregung von Lernprozessen im sozialen Feld,
- körperliche Entspannung.

Literatur

Gräff C (1983) Konzentrative Bewegungstherapie in der Praxis. Hippokrates, Stuttgart
Stolze H (1984) Die konzentrative Bewegungstherapie. Grundlagen und Erfahrungen. Mensch & Leben, Berlin

Stationäre Psychotherapie

- Es werden meist *psychotherapeutische Mischformen* angewandt:
  · Einzel- und Gruppengespräche,
  · Gestaltungstherapie (z. B. Malen, Töpfern),
  · Beschäftigungstherapie,
  · Psychodrama,
  · körperentspannende Verfahren.
- *Therapeutische Gemeinschaft:*
  · alle Patienten werden in die Verantwortlichkeit der Klinikleitung einbezogen,
  · Stationsgruppen auch für die Organisation der Klinik,
  · Arbeitstherapie als Faktor der ökonomischen Basis der Klinik.
- *Wesensmerkmale der stationären Psychotherapie:*
  · zeitliche Gebundenheit der Therapie in der Klinik,
  · seelisches Schonklima,
  · Möglichkeit der ständigen ärztlichen Überwachung der Patienten,
  · Chance der Anwendung vielfältiger psychotherapeutischer Methoden.
- *Gefahren/Kritik:*
  · keine abgeschlossene Therapie möglich,
  · Gefahr der Regression groß.
- *Indikationen:*
  Siehe Abschn. „Psychotherapie in der Klinik", S. 136.

Adressen klinischer Einrichtungen in der Bundesrepublik Deutschland (Auswahl)

1000 Berlin
Abteilung für Psychotherapie und Psychosomatische Medizin, Klinikum Charlottenburg (13 Betten), Spandauer Damm 130 Tel. 030/3035/2403

Abteilung für Psychosomatik und Psychotherapie, Medizinische Klinik und Poliklinik, Universitätsklinikum Steglitz (13 Betten), Hindenburgdamm 30, Tel. 030/7983996/7

Schleswig-Holstein

2300 Kiel:
Abteilung für Psychotherapie und Psychosomatik, Universität Kiel (10 Betten), Niemannsweg 147, Tel. 0431/597-2652

2400 Lübeck:
Klinik für Psychosomatik und Psychotherapie, Medizinische Universität (45 Betten), Ratzeburger Allee 160, Tel. 0451/500230

Niedersachsen

3000 Hannover:
Abteilung Psychosomatik, Medizinische Hochschule (14 Betten) Konstanty-Gutschow-Straße 8, Tel. 0511/5323190

3400 Göttingen:
Abteilung Psychosomatik und Psychotherapie, Zentrum für Psychologische Medizin, Universität Göttingen (10 Betten), von-Sieboldstraße 5, Tel. 0551/396706/6707

3405 Rosdorf:
Tiefenbrunn, Fachkrankenhaus für psychogene und psychosomatische Erkrankungen (176 Betten), 3405 Rosdorf 1, Tel. 0551-78081

Hessen

6300 Gießen:
Zentrum für Psychosomatische Medizin, Justus-Liebig-Universität (9 Betten), Friedrichstraße 33, Tel. 0641/7022461

6430 Bad Hersfeld:
Klinik am Hainberg (187 Betten), Ludwig-Braun-Straße 32, Tel. 06621/78166

Nordrhein-Westfalen

4000 Düsseldorf:
Klinik für Psychotherapie und Psychosomatik, Rheinische Landesklinik (12 Betten), Bergische Landstraße 2, Tel. 0211/2801-558/559

4300 Essen:
Klinik für Psychotherapie und Psychosomatik, Rheinische Klinik und Hochschulklinik, Universitätsklinikum (30 Betten), Hufelandstraße 55, Tel. 0201/723-2220/2360

Rheinland-Pfalz

6500 Mainz:
Klinik und Poliklinik für Psychosomatische Medizin und Psychotherapie, Universitätsklinik (18 Betten), Untere Zahlbacherstr. 8, Tel. 06131/17-2841

Baden-Württemberg

6800 Mannheim:
Psychosomatische Klinik, Zentralinstitut für seelische Gesundheit (48 Betten), J 5, Tel. 0621/1703-425

6900 Heidelberg:
Medizinische Klinik, Universität Heidelberg (Schwerpunkt: allgemeine, klinische und psychosomatische Medizin; 42 Betten), Bergheimer Straße 58, Tel. 06221/56-5792

Psychosomatische Klinik, Universität Heidelberg (24 Betten), Thibautstraße 2, Tel. 06221/56-5814

7000 Stuttgart:
Psychotherapeutische Klinik (102 Betten), Christian-Belser-Straße 79, Tel. 0711/684001

7614 Gengenbach:
Psychosomatische Klinik Kinzigtal (225 Betten), Wolfsweg, Tel. 07803/2021

7800 Freiburg:
Abteilung Psychotherapie und Psychosomatik, Klinikum der Albert-Ludwigs-Universität (24 Betten), Habsburgerstraße 62, Tel. 0781/2701

7812 Bad Krozingen:
Werner-Schwidder-Klinik für Psychosomatische Medizin (63 Betten) Kirchhofenerstraße 4, Tel. 07633/2092

7900 Ulm:
Abteilung Psychosomatik, Psychosoziales Zentrum, Universität Ulm (15 Betten), Steinhövelstraße 9, Tel. 0731/179-2344/2444

Bayern

8000 München:
Abteilung Psychosomatische Medizin und Psychotherapie, Städtisches Krankenhaus München-Bogenhausen (60 Betten), Englschalkinger Straße 77, Tel. 089/9270209

8500 Nürnberg:
Psychosomatische Abteilung, Städtisches Klinikum (16 Betten), Flurstraße 17, Tel. 0911/3982840

Literatur

Beese F (Hrsg) (1978) Stationäre Psychotherapie. Verlag für Medizinische Psychologie, Vandenhoeck & Ruprecht, Göttingen

Heigl F (1987) Indikation und Prognose in Psychoanalyse und Psychotherapie. Verlag für Medizinische Psychologie, Vandenhoeck & Ruprecht, Göttingen

Neun H (Hrsg) (1987) Psychosomatische Einrichtungen. Verlag für Medizinische Psychologie, Vandenhoeck & Ruprecht, Göttingen

Jones M (1976) Prinzipien der therapeutischen Gemeinschaft, soziales Lernen und Sozialpsychiatrie. Huber, Bern

4 Ausbildung – Weiterbildung

Aus- und Weiterbildung

Allgemeines

Auf dem Gebiet der Beziehungspathologie kann nur arbeiten, wer
- über theoretische Grundkenntnisse der Entwicklungspsychologie, Neurosenlehre und Psychotherapie verfügt,
- genügend Selbsterfahrung hat, um eigene Widerstände und die des Patienten besser verstehen und überwinden zu können,
- über ausreichende Erfahrungen in Beziehungsdiagnostik und -therapie verfügt; diese kann nur im Umgang mit Patienten bei gleichzeitiger Kontrolle durch einen erfahrenen Arzt (Supervision) erworben werden.

Ausbildung der Medizinstudenten

Vorklinik:
- Erwerb von Kenntnissen in der medizinischen Psychologie (Lehr- und Lerninhalte unterschiedlich verwendbar in Richtung auf die Beziehungspathologie).

Klinik:
- Pflichtkurs in psychosomatischer Medizin und Psychotherapie im 4. klinischen Semester (2stündig).

Insgesamt:
- Lehrstoff
- gemessen an der Wichtigkeit der Patientenbehandlung und des Krankheitsangebotes – stark unterrepräsentiert gegenüber dem „schulmedizinischen" Sektor.

Fortbildungsmöglichkeiten für den Praktiker

- Balint-Arbeit,
- Erwerb der Zusatzbezeichnung „Psychotherapie",
- Erwerb der Zusatzbezeichnung „Psychoanalyse",
- Ausbildung zum psychoanalytischen Therapeuten („Vollausbildung") nach den Richtlinien der „Deutschen Gesellschaft für Psychotherapie, Psychosomatik und Tiefenpsychologie e. V." (DGPPT).

Erwerb der Zusatzbezeichnung „Psychotherapie"

Inhalt der Weiterbildung:
- Kenntnisse in:
  - Entwicklungspsychologie und Persönlichkeitslehre,
  - Lernpsychologie und Verhaltenslehre,
  - Psychodynamik der Familie und der Gruppe,
  - allgemeine und spezielle Neurosenlehre,
  - Psychopathologie,
  - Psychosomatik,
  - Technik der Erstuntersuchung,
  - psychodiagnostische Testverfahren,
  - Indikation und Methodik der psychotherapeutischen Verfahren einschließlich Prävention und Rehabilitation;
- eingehende Kenntnisse und Erfahrungen in der tiefenpsychologisch fundierten Psychotherapie und mit dem autogenen Training sowie mindestens einem weiteren Verfahren (z.B. Hypnose, katathymes Bilderleben, Verhaltenstherapie, Gesprächstherapie nach Rogers, Psychodrama);
- eingehende Kenntnisse und Erfahrungen in der Abgrenzung von Psychosen und Neurosen und von körperlich begründbaren psychischen Störungen;
- Selbsterfahrung:
  - 70 Doppelstunden in einer Selbsterfahrungsgruppe (tiefenpsychologisch oder psychoanalytisch) kontinuierlich oder in Blockform *oder*
  - patientenzentrierte Selbsterfahrung (Balint-Gruppe) in 35 Doppelstunden, kontinuierlich oder in Blockform;
- mindestens eine tiefenpsychologische Einzelbehandlung von mindestens 40 Stunden mit Supervision nach etwa jeder 4. Sitzung.

Abrechnungsmöglichkeiten:
- sog. kleine Psychotherapieziffern,
- tiefenpsychologisch fundierte Psychotherapie (als Einzel- und Gruppentherapie).

Kritik: Es wird entschieden zu wenig Selbsterfahrung gefordert; manche Kurz- oder Fokaltherapie erfordert besonders viel Erfahrung.

Erwerb der Zusatzbezeichnung „Psychoanalyse"

1. Theoretische Weiterbildung von mindestens 400 Stunden, davon mindestens 200 Stunden in Seminaren, Kursen, Gruppen.
   Kenntnisse in
   - Entwicklungspsychologie und Persönlichkeitslehre,
   - Lernpsychologie und Verhaltenslehre,
     Psychodynamik der Familie und der Gruppe,
   - allgemeine und spezielle Neurosenlehre,
   - Psychopathologie,

- Psychosomatik,
- Technik der Erstuntersuchung,
- psychodiagnostische Testverfahren,
- Indikation und Methodik der psychotherapeutischen Verfahren einschließlich Prävention und Rehabilitation;

eingehende Kenntnisse in
- psychoanalytischen Entwicklungs- und Persönlichkeitstheorien,
- allgemeiner psychoanalytischer Krankheitslehre,
- spezieller psychoanalytischer Krankheitslehre;

eingehende Kenntnisse und Erfahrungen in
- Psychoanalyse und Tiefenpsychologie und davon abgeleiteten Behandlungsverfahren (z. B. tiefenpsychologisch fundierte Psychotherapie, Kurztherapieverfahren, Paar-, Familientherapie),
- psychotherapeutischer, insbesondere der psychoanalytischer Gesprächsführung.

2. Eingehende Kenntnisse und Erfahrungen mit dem autogenen Training, sowie Kenntnisse in einem weiteren Verfahren (z. B. Hypnose, Verhaltenstherapie, Gesprächstherapie nach Rogers, Psychodrama, Tagtraumtechnik).
3. Eingehende Kenntnisse sowie Erfahrungen in der Abgrenzung von Psychosen und Neurosen und von körperlich begründbaren psychischen Störungen.
4. Selbsterfahrung:
   - Lehranalyse von mindestens 250 Stunden grundsätzlich in mehreren Einzelsitzungen pro Woche. Die Lehranalyse soll die Weiterbildung durch mindestens 2½ Jahre begleiten.
5. Behandlung:
   - mindestens 400 psychoanalytische Behandlungsstunden mit Supervision nach etwa jeder vierten Sitzung;
   - eine abgeschlossene psychoanalytische Behandlung, die sich mindestens über 1 Jahr – mindestens 160 Stunden – erstrecken muß, oder 2 psychoanalytische Behandlungen von mindestens je 160 Stunden;
   - Tätigkeit als Mitarbeiter in einer analytischen Gruppentherapie von mindestens 60 Doppelstunden. Die Mindestdauer verringert sich auf 30 Doppelstunden, sofern 30 Doppelstunden in einer analytischen Selbsterfahrungsgruppe (kontinuierlich oder in Blockform) nachgewiesen werden.
6. Patientenzentrierte Selbsterfahrung (Balint-Gruppe) in 35 Doppelstunden, kontinuierlich oder in Blockform.

Abrechnungsmöglichkeiten:
- alle Psychotherapie-/Psychoanalyseziffern.

Kritik:
- Ausbildung in Blockform möglich,
- Selbsterfahrung noch zu gering,
- Behandlungsfälle unter Supervision zu wenig,
- insgesamt zu wenig Supervisionsarbeit (vergleiche Richtlinien der DGPPT).

Weiterbildungsrichtlinien der „Deutschen Gesellschaft für Psychotherapie, Psychosomatik und Tiefenpsychologie e. V." (DGPPT)

1. Allgemeines:
- Als Mitglied kann aufgenommen werden, wer eine Weiterbildung zum analytischen Therapeuten erfolgreich abgeschlossen hat, die den von der DGPPT in Weiterbildungsrichtlinien festgelegten Mindestanforderungen entspricht.
- Die Weiterbildung findet an von der DGPPT anerkannten Instituten statt.

2. Weiterbildung/Zulassung:
- Wissenschaftliche Vorbildung: abgeschlossenes Hochschulstudium in Medizin oder Psychologie.
- Berufliche Erfahrung: in der Regel 2 Jahre Tätigkeit im Grundberuf.
- Lebensalter: in der Regel nicht unter 25 und nicht über 40 Jahre.
- Persönliche Eignung: darüber befindet ein Weiterbildungsausschuß.

Verlauf der Weiterbildung:
a) Lehranalyse (zentraler Bestandteil der Ausbildung) mit entwicklungsfördernder und wissenschaftlich-didaktischer Funktion; in der Regel begleitet sie die Weiterbildung kontinuierlich.
b) Theoretische Lehrveranstaltungen (auf mindestens 4 Jahre verteilt mit mindestens 400 Stunden),
   Programm:
   - Psychoanalytische Entwicklungs- und Persönlichkeitstheorien; Triebtheorien; Strukturtheorien; Theorien der Entwicklung von Repräsentanzen, von Objektbeziehungen und von psychosozialer Identität.
   - Allgemeine psychoanalytische Krankheitslehre.
   - Spezielle psychoanalytische Krankheitslehre: klassische Übertragungsneurosen, prägenitale Konversionsneurosen, psychosomatische Erkrankungen, Störungen in der Entwicklung der Ich-/Selbst-Organisation (Perversionen, pathologischer Narzißmus, Sucht und Depression, Paranoia, Borderlinefälle, Psychosen aus dem schizophrenen Formenkreis).
   - Psychoanalytische Traumtheorien.
   - Theorien der psychoanalytischen Behandlungstechniken.
   - Techniken der psychoanalytischen (diagnostischen und therapeutischen) Gesprächsführung.
   - Fakultative Veranstaltungen:
   Einführung in die Psychodiagnostik (Testpsychologie); Einführung in Theorien von der Psychodynamik der Familie und der Gruppe; allgemeine Entwicklungspsychologie; Einführung in die Lerntheorie und in Theorien der Verhaltenstherapie; Einführung in die vergleichende Verhaltensforschung (Ethologie).
c) Praktische Weiterbildung:
   - klinisch-psychiatrische Kenntnisse (einjährige praktisch-klinische, psychiatrische Tätigkeit.
   - Interviewpraktikum mit Erhebung von Erstinterviews unter Kontrolle.

- Zulassung zur praktischen Weiterbildung:
  - seit mindestens 1 Jahr in Lehranalyse,
  - seit mindestens 1 Jahr an theoretischen Veranstaltungen teilgenommen und Kenntnisse nachgewiesen,
  - abgeschlossenes Interviewpraktikum,
  Kolloquium mit dem Nachweis über das Verständnis für die Grundlagen der psychoanalytischen Behandlungsmethoden.

Inhalt der praktischen Weiterbildung:
- Psychoanalytische Krankenbehandlung unter Kontrolle; davon Patienten mit einer Behandlungsdauer von mindestens 200–300 Stunden.
- Praktische Erfahrungen in der Anwendung von mindestens einem modifizierten psychoanalytischen Behandlungsverfahren (z.B. psychoanalytische Kurz- oder Fokaltherapie).
- Insgesamt mindestens 600 kontrollierte Behandlungsstunden, darunter 2 Fälle mit jeweils mindestens 200 Stunden.

Kontrolle der praktischen Weiterbildung:
- Von 600 Behandlungsstunden mindestens 150 kontrolliert (durch anerkannten Kontrollanalytiker); davon
  - 100 Kontrollstunden in Einzelsitzungen,
  - 50 in Gruppenkontrollstunden mit Gruppen von maximal 4 Teilnehmern.
- Kasuistisch-technische Seminare von mindestens 100 Doppelstunden.

Abschluß der Weiterbildung:
Darstellung einer abgeschlossenen psychoanalytischen Krankenbehandlung, die kontinuierlich kontrolliert wurde; schriftliche Niederlegung und mündliche Ergänzung, aus der die Befähigung des Kandidaten zur selbständigen psychoanalytisch-therapeutischen Arbeit ersichtlich ist.

Literaturliste zur Orientierung für die Weiterbildung zum psychoanalytischen Therapeuten*

1. Einführende Werke

Bally (1961) Einführung in die Psychoanalyse Sigmund Freuds. Rowohlt, Reinbek
Brenner C (1972) Grundzüge der Psychoanalyse. Fischer, Frankfurt am Main
Erikson HE (1971) Kindheit und Gesellschaft. Klett, Stuttgart
Freud S (1916/17) Vorlesungen zur Einführung in die Psychoanalyse. Imago, London, GW Bd 11, S 5–246
Freud S (1933) Neue Folgen der Vorlesung zur Einführung in die Psychoanalyse. GW Bd 15
Kubie LS (1956) Psychoanalyse ohne Geheimnis. Rowohlt, Reinbek

---

* Herausgegeben von der „Akademie für Psychoanalyse und Psychotherapie e.V. München", vom 25.11.1980, leicht geändert und ergänzt.

2. Basisliteratur Psychoanalyse

Abraham K (1961) Psychoanalytische Studien. Fischer, Frankfurt am Main
Balint M (1970a) Die Urformen der Liebe und die Technik der Psychoanalyse. Fischer, Frankfurt am Main
Balint M (1970b) Therapeutische Aspekte der Regression. Die Theorie der Grundstörung. Klett, Stuttgart
Blanck G, Blanck R (1978) Angewandte Ich-Psychologie. Klett, Stuttgart
Blanck G, Blanck R (1978) Ich-Psychologie II. Klett, Stuttgart
Ferenci S (1972) Schriften zur Psychoanalyse. Fischer, Frankfurt am Main
Freud A (1964) Das Ich und die Abwehrmechanismen. Kindler, München
Freud S (1900/01) Traumdeutung. Imago, London (1952), GW Bd 2/3
Freud S (1904/05) Drei Abhandlungen zur Sexualtheorie. GW Bd 5, S 27-145
Freud S (1914a) Zur Einführung des Narzißmus. GW Bd 10, S 137-170
Freud S (1914b) Trauer und Melancholie. GW Bd 10, S 427-446
Freud S (1914c) Triebe und Triebschicksale. GW Bd 10, S 209-232
Freud S (1920) Jenseits des Lustprinzips. GW Bd 13, S 1-69
Freud S (1921) Massenpsychologie und Ich-Analyse. GW Bd 13, S 71-161
Freud S (1923) Das Ich und das Es. GW Bd 13, S 235-289
Freud S (1926) Hemmung, Symptom und Angst. GW Bd 14, S 111-205
Freud S (1938) Abriß der Psychoanalyse. GW Bd 17, S 63-121
Freud S (1937) Die endliche und die unendliche Analyse. GW Bd 16, S 57-99
Gedo J, Goldberg E, Goldberg J (1973) Models of the mind. A psychoanalytic theory. University of Chicago Press, Chicago
Jacobson E (1973) Das Selbst und die Welt der Objekte. Suhrkamp, Frankfurt am Main
Kernberg OF (1978) Borderline-Störungen und pathologischer Narzißmus. Suhrkamp, Frankfurt am Main
Kohut H (1973) Narzißmus. Suhrkamp, Frankfurt am Main
Kohut H (1979) Die Heilung des Selbst. Suhrkamp, Frankfurt am Main
Loch W (1972) Zur Theorie, Technik und Therapie der Psychoanalyse. Fischer, Frankfurt am Main
Mertens W (1981) Psychoanalyse. Kohlhammer, Stuttgart
Spitz R (1973) Die Entstehung der ersten Objektbeziehungen. Klett, Stuttgart
Thomä H, Kächele H (1986) Lehrbuch der psychoanalytischen Therapie. Springer, Berlin Heidelberg New York Tokyo
Winnicott DW (1973) Vom Spiel zur Kreativität. Klett, Stuttgart
Winnicott DW (1976) Reifungsprozesse und fördernde Umwelt. Klett, Stuttgart
Zepf S (1986) Narzißmus, Trieb und die Produktion von Subjektivität. Springer, Berlin Heidelberg New York Tokyo

3. Psychoanalytische Entwicklungspsychologie

Freud A (1968) Wege und Irrwege der Kinderentwicklung. Klett, Stuttgart
Klein M (1962) Das Seelenleben des Kleinkindes und andere Beiträge zur Psychoanalyse. Klett, Stuttgart
Mahler MS (1978) Die psychische Geburt des Menschen. Fischer, Frankfurt am Main
Ohlmeier D (Hrsg) (1973) Psychoanalytische Entwicklungspsychologie. Rombach, Freiburg
Spitz R (1961) Nein und Ja. Die Ursprünge der menschlichen Kommunikation. Klett, Stuttgart
Spitz R (1965) Vom Säugling zum Kleinkind. Klett, Stuttgart

4. Allgemeine und spezielle Neurosenlehre

Dührssen A (1972) Analytische Psychotherapie in Theorie, Praxis und Ergebnissen. Vandenhoeck & Ruprecht, Verlag für Medizinische Psychologie, Göttingen
Fenichel O (1974) Psychoanalytische Neurosenlehre. Walter, Olten
Hoffmann SO, Hochapfel G (1979) Einführung in die Neurosenlehre und psychosomatische Medizin. Schattauer, Stuttgart
Loch W (1977) Die Krankheitslehre der Psychoanalyse. Hirzel, Stuttgart
Nunberg H (1971) Allgemeine Neurosenlehre. Huber, Bern

5. Psychosomatische Medizin

Alexander F (1971) Psychosomatische Medizin. De Gruyter, Berlin
Bräutigam W, Christian P (1978) Psychosomatische Medizin. Thieme, Stuttgart
Brede C (Hrsg) (1974) Einführung in die Psychosomatische Medizin. Athenäum, Frankfurt am Main
Klußmann R (1986) Psychosomatische Medizin. Eine Übersicht. Springer, Berlin Heidelberg New York Tokyo
Mitscherlich A (1976) Krankheit als Konflikt. Suhrkamp, Frankfurt am Main
Overbeck G (1983) Krankheit als Anpassung. Fischer, Frankfurt am Main
Overbeck G, Overbeck A (Hrsg) (1978) Seelischer Konflikt – Körperliches Leiden. Rowohlt, Reinbek
Uexküll T von (Hrsg) (1986) Psychosomatische Medizin. Urban & Schwarzenberg, München
Wesiack W (1980) Psychoanalyse und praktische Medizin. Klett, Stuttgart
Zepf S (1986) Tatort Körper – Spurensicherung. Springer, Berlin Heidelberg New York Tokyo

6. Behandlungstechnik

Argelander H (1970) Das Erstinterview in der Psychotherapie. Wissenschaftliche Buchgesellschaft, Darmstadt
Freud S (1916/17) Vorlesungen zur Einführung in die Psychoanalyse. Imago, London (1952), GW Bd 11, S 5–246
Freud S (1933) Neue Folgen der Vorlesung zur Einführung in die Psychoanalyse. GW Bd 15
Freud S (1909–13) Zur Dynamik der Übertragung. GW Bd 8, S 363–374
Freud S (1909–13) Ratschläge für den Arzt bei psychoanalytischen Behandlungen. GW Bd 8, S 375–387
Freud S (1909–13) Zur Einleitung der Behandlung. GW Bd 8, S 453–478
Freud S (1913–17) Bemerkungen über die Übertragungsliebe. GW Bd 10, 305–321
Freud S (1909–13) Bemerkungen zur Theorie und Praxis der Traumdeutung. GW Bd 13, S 299–314
Greenson RR (1973) Technik und Praxis der Psychoanalyse. Klett, Stuttgart
Menninger K, Holzmann P (1977) Theorie der psychoanalytischen Technik. Fromm-Holzboog, Stuttgart
Morgenthaler F (1978) Technik. Zur Dialektik der psychoanalytischen Praxis. Syndikat, Frankfurt am Main
Racker H (1978) Übertragung und Gegenübertragung. Reinhardt, München
Thomä H, Kächele H (1986) Lehrbuch der psychoanalytischen Therapie. Springer, Berlin Heidelberg New York Tokyo

7. Zeitschriften

Forum der Psychoanalyse. Springer, Berlin Heidelberg New York Tokyo
The International Journal of Psychoanalysis. Bailliere & Tindall for the Institute of Psychoanalysis, London
The Journal of the American Psychoanalytic Association. International University Press, New York
Psyche. Klett, Stuttgart
The Psychoanalytic Study of the Child. International Univ. Press, New York
Zeitschrift für medizinische Psychologie, Psychosomatik und Psychotherapie. Springer, Berlin Heidelberg New York Tokyo
Zeitschrift für psychosomatische Medizin und Psychoanalyse. Vandenhoeck & Ruprecht (Verlag für Medizinische Psychologie), Göttingen

Aus- und Weiterbildungsinstitute der DGPPT

1. Bremer Arbeitsgruppe für Psychoanalyse und Psychotherapie e. V.
   Am Dobben 21, 2800 Bremen 1, Tel. 0421/324729
2. Institut für Psychotherapie e. V. Berlin
   Koserstraße 8-12, 1000 Berlin 33, Tel. 030/8314363
3. Berliner Psychoanalytisches Institut; Karl-Abraham-Institut e. V.
   Sulzaer Straße 3, 1000 Berlin 31, Tel. 030/8264540
4. Institut für Psychoanalyse und Psychotherapie Düsseldorf e. V.
   Bergische Landstraße 2, 4000 Düsseldorf 12, Tel. 02801/558/9
5. Institut für Psychoanalyse und Psychotherapie Freiburg e. V.
   Kaiser-Joseph-Straße 239, 7800 Freiburg, Tel. 0761/36933
6. Institut für Psychoanalyse und Psychotherapie e. V. Göttingen,
   Hanssenstraße 13, 3400 Göttingen, Tel. 0551/42696
7. Institut für Psychoanalyse und Psychotherapie Gießen e. V.
   Ludwigstraße 73, 6300 Gießen, Tel. 0641/74527
8. Lehrinstitut für Psychotherapie und Psychoanalyse e. V.
   Jöhrensstraße 5, 3000 Hannover 71, Tel. 0511/517140
9. Institut für Psychotherapie und Psychoanalyse Heidelberg/Mannheim
   Brahmsstraße 10, 6900 Heidelberg, Tel. 06221/803698
10. Institut für Psychoanalyse, Psychotherapie und Psychosomatik Berlin e. V.
    Helgoländer Ufer 5, 1000 Berlin 21, Tel. 030/3934858
11. Institut für Psychoanalyse und Psychotherapie Hamburg e. V. der Arbeitsgruppe Hamburg der Deutschen Psychoanalytischen Gesellschaft e. V.
    Isestraße 117, 2000 Hamburg 13, Tel. 040/474794
12. Institut für Psychoanalyse und Psychotherapie der „Arbeitsgruppe Stuttgart der Deutschen Psychoanalytischen Gesellschaft e. V."
    Bahnhofstraße 3, 7033 Herrenberg, Tel. 07032/6120 und 6767
13. C. G. Jung-Institut Berlin e. V.
    Schützenallee 118, 1000 Berlin 37, Tel. 030/8312096
14. C. G. Jung-Institut Stuttgart e. V.
    Alexanderstraße 92, 7000 Stuttgart 1, Tel. 0711/242829
15. Institut für analytische Psychotherapie im Rheinland e. V.
    Hohenstaufenring 58, 5000 Köln 1
16. Psychoanalytische Arbeitsgemeinschaft Köln-Düsseldorf e. V. (DPV)
    Dagobertstraße 35/37, 5000 Köln 1, Tel. 0221/135901
17. Alexander-Mitscherlich-Institut, Kasseler Psychoanalytisches Institut e. V.
    Dennhäuser Straße 156, 3500 Kassel, Tel. 0561/480446/47

18. Akademie für Psychoanalyse und Psychotherapie e. V.
    Pettenkoferstraße 22 G, 8000 München 2, Tel. 089/5380516
19. Michael-Balint-Institut. Institut für Psychoanalyse und Psychotherapie
    Averhoffstraße 7, 2000 Hamburg 76, Tel. 040/29188-3840
20. Psychoanalytisches Seminar Freiburg e. V. (DPV)
    Schwaighofstraße 6, 7800 Freiburg, Tel. 0761/77221
21. Psychoanalytisches Lehr- und Forschungsinstitut „Stuttgarter Gruppe" e. V.
    Hohenzollernstraße 26, 7000 Stuttgart 1
22. Sigmund-Freud-Institut. Ausbildungs- und Forschungsinstitut für Psychoanalyse
    Myliusstraße 20, 6000 Frankfurt am Main, Tel. 069/729245
23. Psychoanalytische Arbeitsgemeinschaft Stuttgart-Tübingen, Institut der DPV
    Neckargasse 7, 7400 Tübingen, Tel. 07071/296719
24. Psychoanalytische Arbeitsgemeinschaft Ulm
    Am Hochsträß 8, 7900 Ulm, Tel. 0731/1762981
25. Institut für Psychoanalyse und Analytische Psychotherapie Würzburg e. V.
    Johann Herrmannstraße 7, 8700 Würzburg, Tel. 09281/93884
26. Weiterbildungsseminar für Psychotherapie, Psychosomatische Medizin und Psychoanalyse im Klinikum Charlottenburg
    Spandauer Damm 130, 1000 Berlin 19, Tel. 030/30352408
27. Psychoanalytische Arbeitsgemeinschaft München e. V. (DPV)
    Pienzenauerstraße 91, 8000 München 81, Tel. 089/986032

Literatur

Deutsche Gesellschaft für Psychotherapie, Psychosomatik und Tiefenpsychologie e. V. (1986) Weiterbildungsrichtlinien und Weiterbildungsinstitute. Hamburg
Bayerische Landesärztekammer (1984) Richtlinien über den Inhalt der Weiterbildung vom 1. Januar 1981. Merkblatt zu Ziffer 13. „Psychotherapie". München
Bayerische Landesärztekammer (1984) Richtlinien über den Inhalt der Weiterbildung vom 1. Januar 1981. Merkblatt zu Ziffer 12. „Psychoanalyse". München
Wesiack W (1980) Psychoanalyse und praktische Medizin. Klett, Stuttgart

Balint-Arbeit

Definition: Gruppenarbeit von Ärzten zur Erweiterung der Umgangsmöglichkeiten mit dem Patienten hinsichtlich des affektiven Interaktionsaspektes der Arzt-Patienten-Beziehung.

Ablauf auf 4 Ebenen:
1. Sachebene:
   - fachliche Kompetenz des Arztes,
   - Realität des sozialen Gesundheitswesens.
2. Informationsebene:
   - Mitteilungen des Patienten an den Arzt,
   - Mitteilungen des Arztes an den Patienten.
3. Handlungsebene:
   umfaßt diagnostische und therapeutische Maßnahmen.
4. Beziehungsebene:
   betrifft Hoffnungen, Wünsche, Ängste, Rollenerwartungen des Patienten wie des Arztes.

Balint-Gruppen sind
- patientenzentrierte Selbsterfahrungsgruppen,
- Seminare.

Lernziel: Verbesserung der Arzt-Patienten-Beziehung:
- Einstellung zu Kranken, Krankheit und Arzt:
    - Krankheit ist (auch) Zeichen von pathologischen Objektbeziehungen.
    - Symptome sind (auch) sinnvolle, jedoch teilweise mißglückte Angebote zur Beziehungsaufnahme.
    - Der Arzt ist das wichtigste diagnostische und therapeutische Mittel.
    - Die Arzt-Patienten-Beziehung ist wichtig für den Krankheitsverlauf.
- Wahrnehmungseinstellung des Arztes:
    - Teilnehmende, verstehende Wahrnehmung,
    - Erkennen latenter Angebote in manifesten Verhaltensweisen des Kranken,
    - Widerstandsreaktionen als sinnvoll annehmen.
- Wahrnehmungsverarbeitung des Arztes:
    - Selbstwahrnehmung der eigenen Reaktionen, Gefühle,
    - Reflexion der Selbstwahrnehmungen,
    - Erkennen von (Gegen)übertragungsgefühlen,
    - Vermeidung unbedachter Reaktionen, Wertungen,
    - Gesamtdiagnoseerstellung.
- Aktionale Konsequenzen:
    - Initiierung positiver Entwicklungsmöglichkeiten,
    - Übernahme von mehr Verantwortung durch den Patienten,
    - Verbreiterung der Skala reflektierter ärztlicher Verhaltensweisen.

Forderungen an einen Balint-Gruppen-Leiter:
- Er muß über ausreichende psychoanalytische Kompetenz verfügen.
- Er muß lange genug als Gruppenmitglied und als Koleiter an einer anerkannten Balint-Gruppe teilgenommen haben.
- Er muß ausreichende Erfahrung in Gruppendynamik und Gruppenpsychoanalyse haben.
- Er muß die Bereitschaft aufbringen, Partner und nicht „Lehrer" seiner Gruppe zu sein, in dem Bewußtsein, daß der Lernprozeß auf Gegenseitigkeit beruht.

Literatur

Balint M (1957) Der Arzt, sein Patient und die Krankheit. Klett, Stuttgart
Balint M, Balint E (1963) Psychotherapeutische Techniken in der Medizin. Huber, Bern
Luban-Plozza B (Hrsg) (1974) Praxis der Balint-Gruppen. Lehmann, München
Rosin U (1981) Thesen zur Balint-Arbeit. Unveröffentl Manuskript. Tagung des DAGG, Berlin
Wesiack W (1981) Thesen zur Balint-Arbeit. Unveröffentl Manuskript. Tagung des DAGG, Berlin

Formblätter (1988)
zur Antragstellung für Psychotherapie

Name und Anschrift des Arztes	KV-Abrechnungsnummer

Name und Anschrift der Vertragskasse

Bericht an den Gutachter
zum Antrag des Versicherten auf tiefenpsychologisch fundierte oder analytische Psychotherapie bei Erwachsenen

- ☐ zum Erstantrag (PT 3a E)
- ☐ zum Fortführungsantrag (PT 3b E)
- ☐ Ergänzungsbericht (PT 3c E)

Chiffre ⎵⎵⎵⎵⎵⎵⎵ des Patienten
Anfangsbuchstabe | Geburtsdatum
des Familiennamens | 6stellig

Bezug: Angaben des Arztes (PTV 2 E) vom ⎵⎵⎵

Angaben über den Patienten

Alter Jahre	Geschlecht ☐ M ☐ W	Familienstand ☐ ledig ☐ verheiratet ☐ verwitwet ☐ geschieden ☐ wieder verh. ☐ getrennt lebend	Kinderzahl

erlernter Beruf

zuletzt ausgeübte Tätigkeit

Hinweise zum Erstellen des Berichtes

Der Bericht gliedert sich in:
- Bericht zur Psychotherapie
- Bericht zum somatischen Befund
- ggf. ergänzende Angaben des Arztes im Delegations- bzw. Beauftragungsverfahren.

Er nimmt Bezug auf die Angaben des Arztes im betreffenden Formblatt PTV 2 E.

Führt der Arzt die Psychotherapie durch, erstattet er den als Anlage diesem Formblatt beizufügenden Bericht selbst (DIN A4). Im Delegationsverfahren erstattet der hinzugezogene psychologische Psychotherapeut, im Beauftragungsverfahren der Ausbildungsteilnehmer, den Bericht zur Psychotherapie, der noch vom delegierenden Arzt durch Angaben zum somatischen Befund, zur Anamnese und zur Indikationsstellung auf Seite 4 dieses Formblattes zu ergänzen ist.

Der vom Verfasser unterzeichnete Bericht soll den Umfang von 4 DIN A4-Seiten nicht überschreiten und nur solche Angaben enthalten, die therapie- und entscheidungsrelevant sind. Der Gutachter ist gehalten, bei wesentlicher Überschreitung dieses Umfanges, den Bericht zur sachlichen Verdichtung an den Verfasser zurückzugeben.

Der Bericht zur Psychotherapie ist in Abschnitte zu gliedern. Zur inhaltlichen Gestaltung der einzelnen Abschnitte sind die im folgenden gegebenen Hinweise zu berücksichtigen. Dabei sollen deren Überschriften im Bericht nicht wiederholt werden, die Angabe der jeweiligen Nummer genügt.

Formblatt **PT 3a/b/c E** Bericht an den Gutachter

Das Original ist zusammen mit dem Bericht im verschlossenen roten Umschlag der Vertragskasse zur Weiterleitung an den Gutachter einzureichen. Die Durchschrift ist für die Akten des Arztes bestimmt.

Bericht zum Erstantrag (PT 3a E)

1. Spontanangaben des Patienten

Schilderung der Klagen des Patienten und der Symptomatik zu Beginn der Behandlung, — möglichst mit wörtlichen Zitaten —. Ggf. auch Bericht der Angehörigen/Beziehungspersonen des Patienten.
(Warum kommt der Patient zu eben diesem Zeitpunkt und durch wen veranlaßt?)

2. Darstellung der lebensgeschichtlichen Entwicklung und Krankheitsanamnese

a) Familienanamnese,
b) körperliche Entwicklung,
c) psychische Entwicklung,
d) soziale Entwicklung mit besonderer Berücksichtigung der familiären und beruflichen Situation, des Bildungsganges und der Krisen in phasentypischen Schwellensituationen.
(Bereits früher durchgeführte psychotherapeutische Behandlungen und möglichst alle wesentlichen Erkrankungen, die ärztlicher Behandlung bedurften, sollen erwähnt werden.)

3. Psychischer Befund zum Zeitpunkt der Antragstellung

a) Emotionaler Kontakt, Intelligenzleistungen und Differenziertheit der Persönlichkeit, Einsichtsfähigkeit, Krankheitseinsicht, Motivation des Patienten zur Psychotherapie.
b) Bevorzugte Abwehrmechanismen, ggf. Art und Umfang der infantilen Fixierungen, Persönlichkeitsstruktur.
c) Psychopathologischer Befund (z. B. Bewußtseinsstörungen; Störungen der Stimmungslage, der Affektivität und der mnestischen Funktionen; Wahnsymptomatik, suicidale Tendenzen).

(Auch von anderen Ärzten erhobene Befunde, besonders der letzten 3 Monate, sowie die Ergebnisse klinischer Untersuchungen und Behandlungen sind anonymisiert als Kopie beizufügen.)

4. Psychodynamik der neurotischen Erkrankung

Darstellung der neurotischen Entwicklung und des intrapsychischen neurotischen Konfliktes mit der daraus folgenden Symptombildung. (Zeitpunkt des Auftretens der Symptome und auslösende Faktoren im Zusammenhang mit der Psychodynamik, auch der interpersonellen Dynamik, sind zu beschreiben.)
Bei Behinderung und bei strukturellen Ich-Defekten ist ein von Behinderung und Defekt abgesetztes, aktuell wirksames Krankheitsgeschehen in seiner Psychodynamik darzustellen.

5. Neurosenpsychologische Diagnose zum Zeitpunkt der Antragstellung

Darstellung der Diagnose auf der symptomatischen und strukturellen Ebene; differentialdiagnostische Abgrenzung unter Berücksichtigung auch anderer Befunde ggf. unter Beifügung der anonymisierten Befundberichte.

6. Behandlungsplan und Zielsetzung der Therapie

Begründung für die Wahl der Behandlungsform und deren Anwendung in Einzel- oder Gruppentherapie. Bei Gruppentherapie sind Gruppensetting, Zusammensetzung der Gruppe und die gruppenspezifische Indikation, auch die Erfahrung des Patienten in natürlichen und sozialen Gruppen, darzustellen. Es muß ein Zusammenhang nachvollziehbar dargestellt werden zwischen der Art der neurotischen Erkrankung, der Sitzungsfrequenz, dem Therapievolumen und dem Therapieziel, das unter Berücksichtigung der nach der Vereinbarung über die Anwendung von Psychotherapie in der vertragsärztlichen Versorgung begrenzten Leistungspflicht der Krankenkasse als erreichbar angesehen wird.
Andere Verfahren als die in der Vereinbarung über die Anwendung von Psychotherapie in der vertragsärztlichen Versorgung genannten Behandlungsmethoden § 3 (1) können nicht Bestandteil des Behandlungsplans sein.

7. Prognose der Psychotherapie

Beurteilung des Problembewußtseins des Patienten, Beurteilung seiner Verläßlichkeit und seiner partiellen Lebensbewältigung sowie seiner Fähigkeit oder seiner Tendenz zur Regression; Beurteilung seiner Flexibilität und seiner Entwicklungsmöglichkeiten.

8. Dient der Erstantrag einer **Umwandlung von Kurzzeittherapie in Langzeittherapie**, sind zusätzlich folgende Fragen zu beantworten und die Antworten im Bericht voranzustellen.

1) Womit wurde die Kurzzeittherapie begründet?
2) Welches sind die Gründe für die Änderung der Indikation und die Umwandlung in Langzeittherapie?
3) Welchen Verlauf hatte die bisherige Therapie?

Bericht zum Fortführungsantrag (PT 3b E)

1. **Wichtige Ergänzungen zu den Angaben in den Abschnitten 1.-3. des Berichtes zum Erstantrag auf PT 3a E**

   Symptomatik und ggf. deren Veränderung, lebensgeschichtliche Entwicklung und Krankheitsanamnese, psychischer Befund und Bericht der Angehörigen des Patienten, Befundberichte aus ambulanter oder stationärer Behandlung.

2. **Ergänzungen zur Psychodynamik der neurotischen Erkrankung:**

   Die interpersonale Dynamik (Übertragung, Gegenübertragung und Widerstand) des Patienten im Verlaufe der Therapie, neu gewonnene Erkenntnisse über intrapsychische Konflikte – ggf. besonders auch deren aktuelle und abgrenzbare Auswirkungen bei seelischen Behinderungen – sind darzulegen.

3. **Ergänzungen zur neurosen-psychologischen Diagnose bzw. Differential-Diagnose**

4. **Zusammenfassung des bisherigen Therapieverlaufes:**
   a) Mitarbeit des Patienten, seine Regressionsfähigkeit bzw. -tendenz, Fixierungen, Flexibilität,
   b) angewandte Methoden, erreichte Effekte,
   c) bei Gruppentherapie: Entwicklung der Gruppendynamik, Teilnahme des Patienten am interaktionellen Prozeß in der Gruppe, Möglichkeiten des Patienten, seinen neurotischen Konflikt in der Gruppe zu bearbeiten.

5. **Änderung des Therapieplanes und Begründung**

6. **Prognose nach dem bisherigen Behandlungsverlauf**

   Begründung der noch wahrscheinlich notwendigen Therapiedauer, mit Bezug auf die Entwicklungsmöglichkeiten des Patienten und seines Umfeldes.

Ergänzungsbericht (PT 3c E)

Die Inanspruchnahme der Behandlung im Rahmen der Höchstgrenzen nach § 6 (1.2.6) der Vereinbarung über die Anwendung von Psychotherapie in der vertragsärztlichen Versorgung erfordert einen Antrag des Versicherten auf Fortführung der Behandlung (Formblatt PTV 1 E), dem ein aktueller Bericht nach PT 3b E und zusätzlich ein Ergänzungsbericht (PT 3c E) beizufügen ist.
Im zusätzlichen Ergänzungsbericht ist die Fortführung der Behandlung über den Leistungsumfang hinaus, der in der Vereinbarung über die Anwendung von Psychotherapie in der vertragsärztlichen Versorgung unter § 6 (1.2.1) - (1.2.5) festgelegt wurde, zu begründen und zur beabsichtigten Überschreitung des Behandlungsumfanges Stellung zu nehmen. Dabei sollen folgende Fragen beantwortet werden:

1. Welche Erwartungen knüpft der Patient an die Fortführung der Behandlung? Was möchte er noch erreichen?
2. Welche Zielvorstellungen verbindet der Therapeut mit der im Bericht zum Fortführungsantrag dargestellten Therapie?
3. Kann die Beendigung der psychotherapeutischen Behandlung durch Reduzierung der Behandlungsfrequenz ermöglicht oder erleichtert werden?
4. Welche Stundenzahl wird für die Abschlußphase der psychotherapeutischen Behandlung unbedingt noch für erforderlich gehalten? Welche Sitzungsfrequenz und welche Behandlungsdauer bis zur Beendigung der Therapie ist vorgesehen?

Ärztlicher Bericht zum somatischen Befund

Ergebnis der körperlichen Untersuchung, bezogen auf das psychische und somatische Krankheitsgeschehen. Falls die Untersuchung nicht vom behandelnden oder delegierenden Arzt selbst durchgeführt wird, muß der somatische Befund (ggf. fachgebietsbezogen) eines anderen Arztes beigefügt werden.
Der somatische Befund soll nicht älter als 3 Monate sein.
Ein Bericht zum körperlichen Befund ist grundsätzlich erforderlich; wenn ein Befund nicht mitgeteilt wird, muß der antragstellende Arzt dies begründen.

Ergänzende Angaben des Arztes im Delegations- oder Beauftragungs-Verfahren

1. Ergänzungen jeweils zur medizinisch relevanten Krankheitsanamnese, zur Psychopathologie der Erkrankung und zur medizinischen Diagnose bzw. Differential-Diagnose: (ggf. auch Angaben über parallel laufende psychiatrische Behandlung)

2. Angaben zur Indikation der gewählten Behandlungsform und zur Prognose, ggf. in Zusammenarbeit mit dem Therapeuten.

_____   _____
Datum   Unterschrift des Arztes

(Bei einem Antrag auf Psychotherapie unterzeichnet der Arzt dieses Formblatt, wenn er aufgrund der Erörterung der therapeutischen Situation mit dem Therapeuten die Behandlung befürwortet.)

Formblätter (1988) zur Antragstellung für Psychotherapie 187

Antrag
des Versicherten auf Psychotherapie

Name und Anschrift der Vertragskasse

Chiffre [ ] [, , , ,] des Patienten
Anfangsbuchstabe | Geburtsdatum
des Familiennamens | 6stellig

Die Angaben der persönlichen Daten sind aufgrund § 60 Sozialgesetzbuch (SGB I) notwendig. Ist der Patient nicht selbst Mitglied der Vertragskasse, sind auch die Angaben zum Mitglied erforderlich.

Angaben zum Patienten
- Name, Vorname
- Geburtsdatum
- Anschrift

Angaben zum Mitglied
- Name, Vorname
- Geburtsdatum
- Anschrift
- Mitgliedsnummer

Ich beantrage die Feststellung der Leistungspflicht für Psychotherapie
- ☐ Erstantrag
- ☐ Fortführung der Behandlung

Vor der jetzigen Behandlung wurde bereits Psychotherapie durchgeführt
- ☐ ambulant   Dauer der Behandlung von _____ bis _____   ☐ keine
- ☐ stationär
- Behandler/Klinik (Name, Anschrift)

Kostenträger

Ist ein Rentenantrag gestellt? ☐ ja ☐ nein
ggf. wann und bei wem

Ich erkläre mich damit einverstanden, daß der Arzt und der hinzugezogene Psychotherapeut die zur Prüfung des Antrages notwendigen Angaben der Vertragskasse und ggf. der begutachtenden Stelle erteilen.

Datum _____ Unterschrift des Patienten, ggf. seines gesetzlichen Vertreters

Bitte zusammen mit den Angaben des Arztes (Formblatt PTV 2 E) der Vertragskasse einreichen!

Formblatt **PTV 1 E** Antrag des Versicherten an die Vertragskasse

Angaben des Arztes
zum Antrag des Versicherten auf Psychotherapie

Arztstempel und KV-Abrechnungsnummer

Name und Anschrift der Vertragskasse

Chiffre ⎵⎵ | ⎵⎵⎵⎵⎵⎵ des Patienten
Anfangsbuchstabe | Geburtsdatum
des Familiennamens | 6stellig

Es ist beabsichtigt, folgende Psychotherapie durchzuführen:

☐ **KURZZEITTHERAPIE** (Einzelbehandlung bis maximal 15 Stunden)
  ☐ tiefenpsychologisch fundierte Psychotherapie   ☐ Verhaltenstherapie

Anzahl der Leistungen ⎵⎵ nach Nummer ⎵⎵   E-GO – Einzelbehandlung
Anzahl der Leistungen ⎵⎵ nach Nummer ⎵⎵   E-GO – für begleitende Behandlung Bezugsperson(en)
Die Behandlung soll beginnen am ⎵⎵
Diagnose

Begründung des Behandlungsplans: *(kurze Hinweise zur Indikation, zur Wahl des Behandlungsverfahrens und Stellungnahme zu der Frage, warum mit einem Therapieerfolg bei Anwendung einer Kurzzeittherapie gerechnet werden kann)*

☐ **LANGZEITTHERAPIE** voraussichtliche Dauer insgesamt ⎵⎵ Stunden
  ☐ tiefenpsychologisch fundierte Psychotherapie   ☐ analytische Psychotherapie   ☐ Verhaltenstherapie

Anzahl der Leistungen ⎵⎵ nach Nummer ⎵⎵   E-GO – Einzelbehandlung
Anzahl der Leistungen ⎵⎵ nach Nummer ⎵⎵   E-GO – Gruppenbehandlung
für begleitende Behandlung der Bezugsperson(en)
Anzahl der Leistungen ⎵⎵ nach Nummer ⎵⎵   E-GO – Einzelbehandlung
Anzahl der Leistungen ⎵⎵ nach Nummer ⎵⎵   E-GO – Gruppenbehandlung
Die Behandlung soll beginnen am ⎵⎵
Diagnose

Bei Fortführung der Behandlung
Datum der Vorgutachten   Name des Gutachters

Bisheriger Behandlungsumfang
⎵⎵ Einzelsitzungen nach Nummer ⎵⎵ E-GO – ⎵⎵ Gruppensitzungen nach Nummer ⎵⎵ E-GO
⎵⎵ Sitzungen Bezugsperson(en) als ☐ Einzeltherapie ☐ Gruppentherapie

Bei Umwandlung von Kurzzeittherapie in Langzeittherapie
Bisher wurden ⎵⎵ Sitzungen à 50 Minuten, ⎵⎵ Sitzungen à 25 Minuten nach E-GO Nr. ⎵⎵ durchgeführt.

Formblatt **PTV 2 E** Angaben des Arztes zum Antrag des Versicherten an die Vertragskasse

Erklärung des Arztes

☐ Ich führe die beantragte Psychotherapie nach den jeweils geltenden Bestimmungen der vertragsärztlichen Versorgung selbst durch.
Folgende Qualifikation habe ich gemäß der Vereinbarung über die Anwendung von Psychotherapie in der vertragsärztlichen Versorgung gegenüber der Kassenärztlichen Vereinigung nachgewiesen:

☐ Psychotherapie (§ 7 Abs. 1) ☐ Kindertherapie (§ 7 Abs. 4)
☐ Psychoanalyse (§ 7 Abs. 2) ☐ Gruppentherapie (§ 7 Abs. 5)
☐ Verhaltenstherapie (§ 7 Abs. 3)

☐ Ich beabsichtige, unter meiner allgemeinen ärztlichen Verantwortung zur Durchführung der Psychotherapie den unten genannten psychologischen Psychotherapeuten bzw. analytischen Kindertherapeuten hinzuzuziehen (Delegation).

Name und Abrechnungsnummer des hinzugezogenen Therapeuten

Gegenüber der für meinen Praxissitz zuständigen KV ist nachgewiesen, daß dieser Psychotherapeut die Voraussetzungen für das Tätigwerden gemäß der Vereinbarung über die Anwendung von Psychotherapie in der vertragsärztlichen Versorgung für folgende Behandlung erfüllt:

☐ psychoanalytisch begründete Verfahren (§ 8 Abs. 1) ☐ Kindertherapie (§ 8 Abs. 3; § 8 Abs. 5)
☐ Verhaltenstherapie (§ 8 Abs. 1) ☐ Gruppentherapie (§ 8 Abs. 4)

☐ Ich beabsichtige, unter meiner ärztlichen Verantwortung einen Ausbildungsteilnehmer mit der beantragten Psychotherapie zu beauftragen und bescheinige, daß die Voraussetzungen nach § 10 der Vereinbarung über die Anwendung von Psychotherapie in der vertragsärztlichen Versorgung erfüllt sind.

Name des Ausbildungsteilnehmers

Name des Ausbildungsinstituts

Datum/Arztstempel   Unterschrift

Erklärung des hinzugezogenen Therapeuten

☐ Ich erkläre, daß ich im Rahmen des Delegations-/Beauftragungsverfahrens die Behandlung nach Maßgabe der Vereinbarung über die Anwendung von Psychotherapie in der vertragsärztlichen Versorgung selbst durchführen werde und daß ich den Bericht zum Antrag auf Langzeittherapie selbst erstellt habe.

Datum, Anschrift (Stempel) und Unterschrift des hinzugezogenen/beauftragten Psychotherapeuten

Bericht an den Gutachter

zum Antrag des Versicherten auf tiefenpsychologisch fundierte oder analytische Psychotherapie bei Kindern oder Jugendlichen

☐ zum Erstantrag (PT 3a K E)
☐ zum Fortführungsantrag (PT 3b K E)
☐ Ergänzungsbericht (PT 3c K E)

Name und Anschrift des Arztes | KV-Abrechnungsnummer

Name und Anschrift der Vertragskasse

Chiffre ⎣_|_,_,_,_⎦ des Patienten
Anfangsbuchstabe | Geburtsdatum
des Familiennamens | 6stellig

Bezug: Angaben des Arztes (PTV 2 E) vom

Angaben über den Patienten

Alter
Jahre | Monate | Geschlecht ☐ M ☐ W

Schulart, Klasse, ggf. Schulabschluß

Geschwisterzahl und Position

lebt bei/in (Eltern, Großeltern, Internat)

erlernter Beruf

Alter und Beruf der Eltern

zuletzt ausgeübte Tätigkeit

Hinweise zum Erstellen des Berichtes

Der Bericht gliedert sich in:
• Bericht zur Psychotherapie
• Bericht zum somatischen Befund
• ggf. ergänzende Angaben des Arztes im Delegations- bzw. Beauftragungsverfahren.
Er nimmt Bezug auf die Angaben des Arztes im betreffenden Formblatt PTV 2 E.

Führt der Arzt die Psychotherapie durch, erstattet er den als Anlage diesem Formblatt beizufügenden Bericht selbst (DIN A4). Im Delegationsverfahren erstattet der hinzugezogene analytische Kinder- und Jugendlichen-Psychotherapeut oder der psychologische Psychotherapeut, im Beauftragungsverfahren der Ausbildungsteilnehmer, den Bericht zur Psychotherapie, der noch vom delegierenden Arzt durch Angaben zum somatischen Befund, zur Anamnese und zur Indikationsstellung auf Seite 4 dieses Formblattes zu ergänzen ist.

Der vom Verfasser unterzeichnete Bericht soll den Umfang von 4 DIN A4-Seiten nicht überschreiten und nur solche Angaben enthalten, die therapie- und entscheidungsrelevant sind. Der Gutachter ist gehalten, bei wesentlicher Überschreitung dieses Umfanges, den Bericht zur sachlichen Verdichtung an den Verfasser zurückzugeben.

Der Bericht ist in Abschnitte zu gliedern. Zur inhaltlichen Gestaltung der einzelnen Abschnitte sind die im folgenden gegebenen Hinweise zu berücksichtigen. Dabei sollen deren Überschriften im Bericht nicht wiederholt werden, die Angabe der jeweiligen Nummer genügt.

Formblatt **PT 3a/b/c (K) E** Bericht an den Gutachter   Das Original ist zusammen mit dem Bericht im verschlossenen roten Umschlag der Vertragskasse zur Weiterleitung an den Gutachter einzureichen. Die Durchschrift ist für die Akten des Arztes bestimmt.

Bericht zum Erstantrag (PT 3a K E)

1. Angaben zur spontan berichteten und erfragten Symptomatik

Darstellung der Störungen, an denen der Patient im wesentlichen leidet und Angaben über deren Beginn.

2. Anamnese

Unter Einschluß der für das Kind bzw. den Jugendlichen bedeutsamen Beziehungspersonen sollen die psychodynamisch wesentlichen Faktoren komprimiert dargestellt werden. Bei Jugendlichen sind dessen eigene anamnestische Angaben gesondert zu berichten.

a) Daten zur Entwicklung (Schwangerschaftsverlauf, Geburtsverlauf, Geburtsgewicht, Sitzen, frei Laufen, erste Worte, erste Sätze, sauber seit, trocken seit, Menarche).
b) Derzeitige Familiensituation: Stellung des Kindes in der Familie, spezielle pathogene Faktoren, welche die Interaktionen des Kindes in seiner Familie kennzeichnen; innere Voraussetzungen der Eltern bei der Eheschließung; Beziehung der Eltern zu ihren Kindern; Beziehung der Eltern zur eigenen Primärfamilie.
c) Psychosoziale Entwicklung: (Belastende Milieufaktoren, Auffälligkeiten in sozialen Schwellensituationen, Schul- und ggf. Berufslaufbahn).
d) Bisherige psychotherapeutische und heilpädagogische Vorbehandlungen des Kindes bzw. Jugendlichen, auch Behandlung der Eltern und Geschwister.

3. Psychischer Befund zum Zeitpunkt der Antragstellung

Ergebnisse der neurosenpsychologischen Untersuchungen (Spielbeobachtung; Erstgespräch des Therapeuten mit dem Kind/Jugendlichen; Exploration); Beschreibung der intellektuellen Differenzierung, des sozialen Verhaltens, der emotionalen Ansprechbarkeit, der konfliktbesetzten Erlebnis- und Verhaltensweisen, der bevorzugten Abwehrmechanismen, ggf. der Reifungsdisharmonien; Ergebnisse der psychodiagnostischen Testverfahren.

4. Psychodynamik der neurotischen Erkrankung

Darstellung der Entwicklung des intrapsychischen, neurotischen Konfliktes und der daraus folgenden neurotischen Symptombildung. Auslösende Faktoren und Zeitpunkt des Auftretens der Symptome.
Die aktuelle neurotische Konfliktsituation muß auf mehreren Ebenen dargestellt werden:

a) als intrapsychischer Konflikt
b) als interpersonaler Konflikt
c) ggf. bei strukturellen Ich-Defekten als deren aktuelle und abgrenzbare Auswirkung auf intrapsychische und interpersonale Konflikte.

Dabei ist der Nachweis kausaler krankheitsbestimmender Zusammenhänge zur Verdeutlichung der Psychogenese der beschriebenen Gesundheitsstörung zu führen, ggf. krankheitsrelevante familiendynamische Faktoren zu schildern.
Bei Psychotherapie im Rahmen der medizinischen Rehabilitation sind die psychodynamisch relevanten Anteile der Behinderung oder ihrer Folgen darzustellen.

5. Schilderung der familiären Situation (Eltern/Beziehungsperson)

Gesundheitszustand und psychische Verfassung der Eltern und/oder anderer Beziehungspersonen des Kindes/Jugendlichen; Einstellung zur Psychotherapie des Kindes und zur begleitenden Psychotherapie der Beziehungspersonen.
Beurteilung der Umstellungsfähigkeit der Eltern und der Möglichkeiten, die pathogene Familiendynamik zu beeinflussen.

6. Neurosenpsychologische Diagnose zum Zeitpunkt der Antragstellung

Darstellung der Diagnose auf der symptomatischen und strukturellen Ebene; differentialdiagnostische Abgrenzung unter Berücksichtigung auch anderer Befunde ggf. unter Beifügung der anonymisierten Befundberichte.

7. Behandlungsplan und Zielsetzung der Therapie

Begründung der Art der Psychotherapie wie analytisch begründete Kinder- bzw. Jugendlichenpsychotherapie, analytisch begründete Gruppenpsychotherapie bei Kindern und Jugendlichen, Kurzpsychotherapieverfahren, Probetherapie.
Begründung für die voraussichtliche Dauer der geplanten Psychotherapie und deren Zielsetzung nach Maßgabe der Vereinbarung über die Anwendung von Psychotherapie in der vertragsärztlichen Versorgung.
(Es muß ein Zusammenhang nachvollziehbar dargestellt werden zwischen der Art der neurotischen Erkrankung, der Sitzungsfrequenz, dem Therapievolumen und dem Therapieziel, das unter Berücksichtigung der Leistungspflicht der Krankenkasse als erreichbar angesehen wird.) Ggf. Begründung der Notwendigkeit und des Umfangs der begleitenden Psychotherapie der Beziehungsperson. Andere als die in der Vereinbarung über die Anwendung von Psychotherapie in der vertragsärztlichen Versorgung genannten Behandlungsmethoden (§ 3 (1)) können nicht Bestandteil des Behandlungsplans sein.

8. Prognose der Psychotherapie

Einschätzung der Prognose im Hinblick auf die

a) Situation des Kindes/Jugendlichen innerhalb der Familie (z. B. aktuelle Belastung der Familie, Dauerkrise der Familie, Rollenfunktion des Kindes/Jugendlichen).
b) Motivation des Kindes/Jugendlichen zur geplanten Psychotherapie.
c) Motivation, Umstellungsfähigkeit und Belastbarkeit der Beziehungspersonen.
d) Möglichkeiten zur Entwicklung altersentsprechender Beziehungen und phasengerechter Verselbständigung des Kindes/Jugendlichen.

9. Dient der Erstantrag einer **Umwandlung von Kurzzeittherapie in Langzeittherapie?**

Bericht zum Fortführungsantrag (PT 3b K E)

1. **Wichtige Ergänzungen zu den Angaben in den Abschnitten 1.-3. des Berichtes zum Erstantrag auf PT 3a K E**

    Körperliche Erkrankungen, psychosoziale Entwicklung, Familiensituation, Ergebnis ergänzender psychodiagnostischer Verfahren, psychische und somatische Befunde.

2. **Ergänzungen zur Psychodynamik der neurotischen Erkrankung**

    Im Verlauf der bisher ausgeführten Psychotherapie gewonnene Erkenntnisse über die Psychodynamik der neurotischen Erkrankung sind darzustellen.
    Kritische Überprüfung der zum Erstantrag dargestellten Annahmen zur Aetiopathogenese.
    Darstellung der Entwicklung der psychodynamisch relevanten Therapieprozesse auf der intrapsychischen und interpersonalen Ebene.

3. **Ergänzungen zur neurosenpsychologischen Diagnose bzw. Differentialdiagnose**

4. **Zusammenfassung des bisherigen Therapieverlaufs**

    a) Die Darstellung soll sich auf die für die Begutachtung wichtigen Angaben beschränken, wie Übertragung, Gegenübertragung, Widerstand und Regression, Dynamik der familiären Interaktion, angewandte Methoden und Angaben über den erreichten Effekt, Änderung der Symptomatik, Korrektur der Fehlentwicklung, Unterbrechungen der Therapie.
    Für den Gutachter muß aus der kurz gefaßten Darstellung der therapeutische Prozeß zu erkennen und nachvollziehbar sein. Bei Gruppentherapie sind die Veränderung des Verhaltens des Patienten in der Gruppe und die dynamischen Prozesse in der Gesamtgruppe in bezug auf den Patienten zu schildern.
    b) Die Mitarbeit der Eltern und ggf. der Verlauf der begleitenden Psychotherapie der Beziehungsperson(en) während der Behandlung sollen beschrieben werden.

5. **Änderungen des Therapieplans und Begründung**

6. **Prognose nach bisherigem Behandlungsverlauf**

    Die wahrscheinlich noch notwendige Therapiedauer ist mit Bezug auf die Entwicklungsmöglichkeiten des Patienten und seines Umfeldes zu begründen.
    Die Therapieziele sind sowohl im Hinblick auf die phasentypischen Entwicklungsmerkmale des Patienten darzustellen als auch unter Berücksichtigung der nach der Vereinbarung über die Anwendung von Psychotherapie in der vertragsärztlichen Versorgung begrenzten Leistungspflicht der Krankenkassen.

Ergänzungsbericht (PT 3c K E)

Die Inanspruchnahme der Behandlung im Rahmen der Höchstgrenzen nach § 6 (1.2.6) der Vereinbarung über die Anwendung von Psychotherapie in der vertragsärztlichen Versorgung erfordert einen Antrag des Versicherten auf Fortführung der Behandlung (Formblatt PTV 1 E), dem ein aktueller Bericht nach PT 3b K E und zusätzlich ein Ergänzungsbericht (PT 3c K E) beizufügen ist.
Im zusätzlichen Ergänzungsbericht ist die Fortführung der Behandlung über den Leistungsumfang hinaus, der in der Vereinbarung über die Anwendung von Psychotherapie in der vertragsärztlichen Versorgung unter § 6 (1.2.1) - (1.2.5) festgelegt wurde, zu begründen und zur beabsichtigten Überschreitung des Behandlungsumfanges Stellung zu nehmen. Dabei sollen folgende Fragen beantwortet werden:

1. Welche Erwartungen knüpfen der Patient und die Eltern oder die Beziehungspersonen an die Fortführung der Behandlung? Was möchten sie noch erreichen?

2. Welche Zielvorstellungen verbindet der Therapeut mit der im Bericht zum Fortführungsantrag dargestellten Therapie?

3. Kann die Beendigung der psychotherapeutischen Behandlung durch Reduzierung der Behandlungsfrequenz ermöglicht oder erleichtert werden?

4. Welche Stundenzahl wird für die Abschlußphase der psychotherapeutischen Behandlung unbedingt noch für erforderlich gehalten? Welche Sitzungsfrequenz und welche Behandlungsdauer bis zur Beendigung der Therapie ist vorgesehen?

Ärztlicher Bericht zum somatischen Befund

Ergebnis der körperlichen Untersuchung, bezogen auf das psychische und somatische Krankheitsgeschehen. Falls die Untersuchung nicht vom behandelnden oder delegierenden Arzt selbst durchgeführt wird, muß der somatische Befund (ggf. fachgebietsbezogen) eines anderen Arztes beigefügt werden.
Der somatische Befund soll nicht älter als 3 Monate sein.
Ein Bericht zum körperlichen Befund ist grundsätzlich erforderlich; wenn ein Befund nicht mitgeteilt wird, muß der antragstellende Arzt dies begründen.

Ergänzende Angaben des Arztes im Delegations- oder Beauftragungs-Verfahren:

1. Ergänzungen zur medizinisch relevanten Krankheitsanamnese, zur Psychopathologie der Erkrankung und zur medizinischen Diagnose/Differential-Diagnose: (ggf. auch Angaben über parallel laufende psychiatrische Behandlung)

2. Angaben zur Indikation der gewählten Behandlungsform und zur Prognose, ggf. in Zusammenarbeit mit dem Therapeuten.

_____   _____
Datum   Unterschrift des Arztes

(Bei einem Antrag auf Psychotherapie unterzeichnet der Arzt dieses Formblatt, wenn er aufgrund der Erörterung der therapeutischen Situation mit dem Therapeuten die Behandlung befürwortet.)

Allgemeine und Übersichtsliteratur

Balint M (1970a) Die Urformen der Liebe und die Technik der Psychoanalyse. Fischer, Frankfurt am Main
Balint M (1970b) Therapeutische Aspekte der Regression. Die Theorie der Grundstörung. Klett, Stuttgart
Blanck G, Blanck R (1978) Angewandte Ich-Psychologie. Klett, Stuttgart
Blanck G, Blanck R (1980) Ich-Psychologie II. Klett, Stuttgart
Bräutigam W (1978) Reaktionen-Neurosen-abnorme Persönlichkeiten. Thieme, Stuttgart New York
Brenner C (1967) Grundzüge der Psychoanalyse. Fischer, Frankfurt am Main
Dührssen A (1972) Analytische Psychotherapie in Theorie, Praxis und Ergebnissen. Verlag für Medizinische Psychologie, Vandenhoeck & Ruprecht, Göttingen
Elhardt S (1971) Tiefenpsychologie. Eine Einführung. Kohlhammer, Stuttgart
Fenichel O (1977) Psychoanalytische Neurosenlehre. Walter, Olten
Freud A (1964) Das Ich und die Abwehrmechanismen. Kindler, München
Freud S (1952) Gesammelte Werke, Bd 1-17. Imago, London
Greenson RR (1973) Technik und Praxis der Psychoanalyse. Klett, Stuttgart
Hoffmann SO, Hochapfel G (1979) Einführung in die Neurosenlehre und psychosomatische Medizin. Schattauer, Stuttgart
Kernberg OF (1978) Borderline-Störungen und pathologischer Narzißmus. Suhrkamp, Frankfurt am Main
Klußmann R (1986) Psychosomatische Medizin - eine Übersicht. Springer, Berlin Heidelberg New York Tokyo
Knapp G (im Druck) Narzißmus und Primärbeziehung. Psychoanalytisch-anthropologische Grundlagen für ein neues Verständnis von Kindheit
Kohut H (1973) Narzißmus. Suhrkamp, Frankfurt am Main
Kohut H (1979) Die Heilung des Selbst. Suhrkamp, Frankfurt am Main
Loch W (1967) Die Krankheitslehre der Psychoanalyse. Hirzel, Stuttgart
Mertens W (1981) Psychoanalyse. Kohlhammer, Stuttgart
Nunberg H (1959) Allgemeine Neurosenlehre. Huber, Bern
Riemann F (1973) Grundformen der Angst. Reinhardt, München
Thomä H, Kächele H (1986) Lehrbuch der psychoanalytischen Therapie. Springer, Berlin Heidelberg New York Tokyo
Uexküll T von (Hrsg) (1986) Psychosomatische Medizin. Urban & Schwarzenberg, München
Wesiack W (1980) Psychoanalyse und praktische Medizin. Klett, Stuttgart
Zepf S (1985) Narzißmus, Trieb und die Produktion von Subjektivität. Springer, Berlin Heidelberg New York Tokyo
Zepf S (1986) Tatort Körper - Spurensicherung. Springer, Berlin Heidelberg New York Tokyo